정근 전집
1권

양림동에서 단란했던 한때 (가운데 어머니가 안고 있는 아기가 정근, 어머니 오른쪽 학생이 셋째 형 정권, 앞줄 학생이 둘째 형 정추, 뒷줄 맨 왼쪽이 맏형 정준채)

양림동 210번지 자택에서의 가족 크리스마스 (앞줄 가운데 희미한 모습이 정근, 정중앙이 어머니 정참이, 맨 왼쪽 기타를 치고 있는 맏형 정준채)

양림동 자택에서 형 친구들과 함께 (앞줄 가운데 어린이가 정근)

부모님과 함께 양림동 자택에서의 어린 시절

양림유치원 제8회 졸업식 (가운데 줄 맨 왼쪽이 정근, 1937. 3. 20)

광주서중 시절

독일 베를린대학 성악과 재학시절의 막내 외삼촌 정석호
(둘째 줄 맨 오른쪽, 1923년 추정)

부친 정순극(왼쪽), 외삼촌 정상호

부친 운정 정순극 존영(1938년)

젊은 시절(광주)

청년시절(광주에서)

1940.8월

광주교대 부속 영생유치원 교사 시절

1904년 선교사 유진 벨이 창립한 광주양림교회 전경

출생지인 광주시 남구 양림동 210번지(현 연립주택 한스빌 자리)

광주 양림동 외가 저택 전경

광주 양림동 외가 저택 전경

혼례식 장면
(전북 장수군 산서면 동화리 신부댁에서)

1960년 광주 서석동 시절
(왼쪽부터 아내 양순식, 맏딸 유화, 어머니 정참이, 아들 철훈, 정근 본인)

신혼 시절(광주)

남산방송국 시절 홍난파 흉상 앞에서(오른쪽부터 정근, 작곡가 김규환, 작곡가 이수인)

한중친선소년소녀합창제에
참가한 KBS 어린이합창단
(1960년대)

광주방송국 어린이노래회 발표회 (1960년대)

KBS 어린이합창단 지휘자 시절 (1970년대)

서울리라초등학교 교사 혼성합창단
연습 장면 (1970년대)

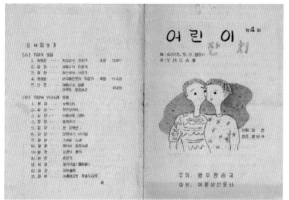

광주방송국 주최 제4회 어린이잔치 팜플릿(1960. 5. 8)

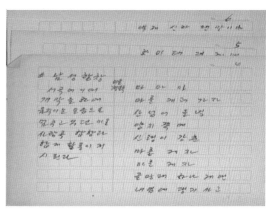

방송 대본 원고

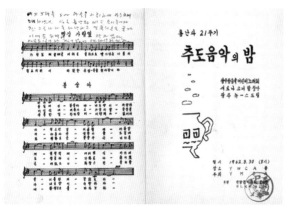

홍난파 21주기 추도음악의 밤에 참가한 새로나소녀합창단 팜플릿
(1962.8.30)

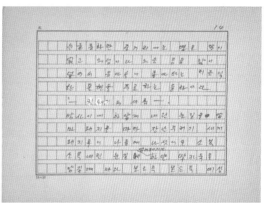

자필 원고

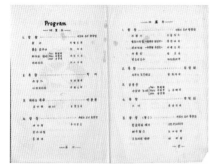

새로나소녀합창단 제 2회 발표회 팜플릿
(박계, 방현희 등 유명 소프라노와 협연)

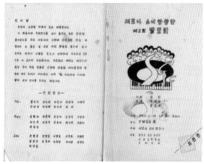

새로나소녀합창단 제2회 발표회 팜플릿
(1962.11.30)

정근이 글을 쓴 어린이그림책
'마고할미' 표지

광주방송 새로나소녀합창단 발표회 모습 (1960년대 초)

광주방송어린이합창단 서울 공연 (정동 KBS
사옥 앞, 뒷줄 맨 왼쪽, 1960년대 초 추정)

KBS 어린이합창단 지휘자 시절
(1970년대 추정)

KBS '모이자 노래하자' 녹화장면

KBS '모이자 노래하자' 녹화 장면

KBS '모이자 노래하자' 진행자 박설희와 함께

KBS '모여라 딩동댕'에서 김녹천 작사, 정근 작곡,
김희정 노래의 '꽃처럼' 녹화 장면

KBS 어린이프로그램 대본 설명 장면

KBS 어린이과학세계 '사진과 렌즈' 녹화 장면(1988.10)

KBS 공개홀에서 작곡가 김규환 선생과 함께

동요부르기 행사에서 심사평

색동어머니회 주최 '어머니를 위한 동화구연 세미나'

독일 베토벤 조각상 앞에서 (1987. 2. 13)

독일 여행 중

경주 불국사에서 (50대 초반)

반세기만에 극적으로 이루어진 둘째 형 정추(카자흐스탄 망명작곡가)
와의 상봉장면 (싱가포르 창이공항 1989. 1. 20)

상봉 직후 싱가포르 관광 모습
(왼쪽부터 정추, 누나 정경희, 정근)

몽골 어린이캠프대회에서 (1994. 7. 23)

몽골 어린이캠프대회에서 몽골 공훈 화가 맹희원(가운데) 등과 함께

회갑잔치
(왼쪽부터 둘째 형 정추, 부인 양순식, 누나 정경희, 정근 본인)

황철익 작곡집 출간기념회에서 (1999. 5. 29)

한국 동요인 새해맞이 친교회 (2001. 1.8)

전국반달여성이야기대회에서 심사평 (1999.6.16)

제11회 전국반달여성이야기대회 심사위원
(2001.6.25 강서문화센터)

제1회 전국학생작곡실기대회 심사위원 (왼쪽에서 네 번째)

중견작가 '방송문예포럼' 연수강좌 (2001.12.19)

남산 숭의여대 교정을 찾아서 (70세 전후)

윤극영 선생의 '반달' 작사 기념비 제막식

광주서중 후배 박종채(맨 왼쪽) 선생과 함께 일본 여행

왼쪽부터 정추, 정근, 손자 민기, 아들 철훈 (2010년)

동요작곡가 정근 시비 제막식
2010년 10월23일 오전 11시
전남 곡성군 오산면 봉동리 부들마을

정근시비현수막

시비 제막식 (2010년)

시비 설립과정에 대한 설명

시비 제막식을 마치고 고향 부들마을 정자에서
(처남 양형식 부부, 외손녀들과 함께)

전남 곡성군 옥과면 봉동리 선산 입구의 정근 시비
(2010년)

전남 곡성군 오산면 봉동리 부들마을 선산 앞에서 정근 시비 제막식 모습
(2010.10)

여러 차례 수술을 받아 수척해진 모습 (2004. 7)

도봉산 산행

말년의 정근

정근 鄭槿 1930~2015

정근 전집 간행위원

현기영(소설가)

양정자(시인)

이상국(시인)

신이영(유라시아문화연대 이사장)

장철문(시인 · 아동문학가)

유족대표 정철훈(시인 · 편지문학관 관장)

   어른이 되어도 자신 속에 아이를 가지고 있는 사람, 즉 아이의 속성인 천진함과 자연스러움이 아직도 많이 남아있는 사람이야말로 진정한 인간일 것이다. 정근 선생이 바로 그런 분이다. 선생의 내면에는 그렇게 평생 고갈되지 않은 동심의 샘이 있었나 보다. 그 동심의 샘이 40여 년 동안 방송국 무대로 통한 어린이음악 운동을 성공적으로 견인해낸 원동력이 되었을 것이다.

   연좌제의 혹독한 피해자로 한때 절망의 바닥까지 떨어졌던 선생이 자신의 황폐한 내면을 치유할 수 있었던 것은 우연히 만난 어린이 세계였다. 그때부터 선생은 어린이 세계에 자신을 일치시켜 어린이음악 운동을 왕성하게 펼쳐 왔는데, 작시, 작곡, 구성 작가, 극 연출, 무용, 합창단 지휘 등 그야말로 전방위적인 혼신을 다한 활동이었다.

   생존경쟁의 살벌한 세태 속에 어린이의 순수한 심성이 오염되고 왜곡되고 해침을 당하고 있는 지금, 우리가 「둥글게 둥글게」와 같은 동요를 새삼 음미해 본다면, 선생의 음악 활동이 어린이의 정서에 얼마나 큰 영향을 주었나를 깨닫게 된다.

현기영(소설가)

"둥글게 둥글게 빙글빙글 돌아가며 춤을 춥시다"

모든 기억이 사라져가는 백발성성한 이 나이에도 반짝! 꽃피듯 기억나는 이 노래!

세대를 뛰어넘어 언젠가 우연히 어린 우리 손자 손녀들과 놀아주면서 신나게 노래와 춤을 함께할 수 있었던 이 노래.

우리는 모두 이런 귀중한 어릴 적 노래의 힘으로 이 어렵고 힘든 삶을 헤쳐나왔는지도 모른다. 우리 삶에서 좋은 노래는 이렇듯 힘이 세다.

동요 쓰시기는 물론 어린이를 위한 독창적 방송 프로그램 기획과 그 실연(實演)으로 평생을 바쳐 어린이를 위한 모든 문화운동을 다방 면에서 선도적으로 이끌어 주셨던 분이다!

양정자(시인)

　나는 전후(戰後)에 초등학교를 다녔는데 지금은 국민동요가 된 「반달」이나 「고향의 봄」 말고는 기억나는 동요가 별로 없다. 그리고 좋아하는 동요는 라디오나 티브이를 통해 따라 부르게 된 「구름」 「텔레비전」 「둥글게 둥글게」 등이 전부다. 배운 적도 없고 제목도 몰랐지만, 언제부턴가 내 속에 들어와 사는 꿈의 노래들이다. 모두 정근 선생의 동요다.

　5, 6년 전 나는 선생의 아드님인 정철훈 시인과 전남 곡성군 오산면 봉동리 선산에 가서 묘소에 술을 따른 적이 있었다. 그리고 인적이 뜸한 야산 묘소 주변에 외따로 선 선생의 노래비를 돌아보며 예술가의 정신이 어떻게든 존중받고 이어져 오고 있는 것을 보며 옷깃을 여몄다.

이상국(시인)

　　정근 선생은 「텔레비전」, 「둥글게 둥글게」 같은 방송동요로 유명하신 분이다. 선생의 동요 「우체부 아저씨」를 듣노라면 한국전쟁의 포연이 걷히고 뿔뿔이 흩어진 가족을 찾는 비극적 상황이 연상되지만, 그 곡조는 천진한 동심을 실어나르며 "시집간 누나가 내일 온대요"라고 희망을 노래하고 있다.

　　정근 선생이야말로 전쟁의 상처와 근대화의 상처를 어루만지는 동심을 '큰 가방'에 가득 싣고 방방곡곡을 찾아다니며 "편지요, 편지요."라고 외치고 다니신 우체부 아저씨가 아니었을까. 과연 인간의 꿈은 동요와 직결되어 있다는 생각이 든다. 정근 전집은 우리 동요사에서 매우 중요한 유산이 될 것이다.

신이영(유라시아문화재단 이사장)

텔레비전에 내가 나왔으면
정말 좋겠네 정말 좋겠네
춤추고 노래하는 예쁜 내 얼굴

이 노래를 모르는 사람은 없을 것이다. 그러나 그 작사·작곡가가 정근 선생임을 아는 사람은 거의 없을 것이다. 누구나 부를 수 있으면서도 작사·작곡가를 모른다는 것은 역설적으로 그 노래가 이미 민요와 같이 우리 문화 속에 깊고 넓게 뿌리내렸다는 것을 말해준다.

동요 〈텔레비전〉은 새로운 매체로 등장한 TV에 열광한 어린이들이 자신도 거기에 출연함으로써 주인공이 되는 꿈을 노래했다는 점에서 강한 시대성을 띠고 있다. 가사와 악보를 통해 소통하던 종이매체를 넘어 TV 매체 안에서 직접 노래하고 춤추는 어린이의 모습이 가사에 이미 제시되어 있다는 점에서 시사하는 바가 크다.

정근 선생이 작사하고 안무한 〈둥글게 둥글게〉나 〈짤랑짤랑〉은 율동과 노래가 함께 어우러지는 대표적 동요이다. 이는 선생이 일찍이 유치원 교사로서, 안무가로서, 방송작가로서 유치원은 물론 방송 현장에서 어린이들과 함께 춤추고 노래함으로써 가능한 것이었다. 정근 선생은 어린이문화운동에 TV 매체를 누구보다 적극적으로 활용하였으며, 그가 짓고 안무한 동요는 그만큼 빠르고 널리 전파될 수 있었다.

이제 우리는 인쇄와 공중파는 물론 어린이에 대한 연민과 계몽을 가로질러, 그들과 함께 공감과 소통의 장을 열어가야 하는 SNS의 시대를 살고 있다. 『정근 전집』은 우리 어린이문화운동의 역사를 돌아보면서 현재를 점검하고 미래로 나아가는 중요한 전기가 될 것이다.

장철문

정근 전집을 엮으며

『정근 전집』을 엮어낸다. 2020년은 정근 탄생 90주년이었다. 90주년을 따로 의식한 건 아니지만 어느새 작고 후 5년이었고 이를 기점으로 전집 작업에 착수했다. 서가에 차곡차곡 쌓여있던 유고는 잉크 빛이 바래고 종이가 푸석거리는 상태였으며 깨알 같은 글자로 적혀 있어 입력 작업이 쉽지 않았다. 돋보기를 쓰거나 혹은 확대경을 대고 한 자 한 자 확인해 가면서 입력을 했다. 2년 가까운 시간이 흐르자 어느 정도 윤곽이 드러났다.

한 가지 송구스러운 것은 전집 작업을 도맡아줄 제자나 후학이 없는 처지여서 아쉽게도 아들인 제가 전집을 엮어내게 되었다는 점이다. 다만 저는 유족을 대표해 전집을 엮었을 뿐, 여기엔 세 딸과 여러 손자 손녀들 그리고 주변의 관심과 사랑이 모두 집결되어 있다.

전집은 전 3권으로 구성되었다.

제1권은 '운문 편'으로 동시와 동요(악보)를 위주로 묶었다. 동시는 '동요로 불리는 동시(74편)'와 '곡을 붙이지 않은 동시(58편)'로 분류하여 수록했다. 새로 발굴된 동시는 2003년 노트에 적혀 있던 44편을 수습하였다. 노트엔 이렇게 적혀 있었다. "일기에서 옮겨 썼으니 날짜와 관계없이 느낀 대로 이 노트에 동요 동시를 적어 기억해둔다." 발굴된 44편의 작시 연도는 1993년부터 2006년에 걸쳐 있다. 이로써 창작

동시는 모두 176편으로 확정되었다.

동요는 '노랫말 쓰고 곡을 붙인 동요(74곡)'와 '노랫말 쓰고 여러 작곡가가 작곡한 동요(20곡)', 그리고 '여러 동시인의 시에 작곡한 동요(19곡)'로 분류했다. 이 가운데 '노랫말 쓰고 여러 작곡가가 작곡한 동요'는 동시 편의 '곡을 붙이지 않은 동시(58편)'와 같은 작품수가 되어야 마땅하지만 나머지 38편의 악보를 취합하기 어려워 20곡을 수록하는 것으로 가름했다. 이로써 우선 '정근 112곡집'을 확정하였다.

한국음악저작권협회에 문의한 결과 1980년부터 2005년에 걸쳐 등록된 정근의 작품 수는 모두 269곡이었다. 노랫말을 썼든, 곡을 붙였든 악보가 있는 작품이 막연히 추정하고 있던 작품 수보다 두 배 이상 늘어난 것은 뮤지컬 「폭풍 속의 아이들」과 「혹뗀 이야기」를 비롯해 인형극 삽입 노래, 어린이 오페라, 그리고 노래 동화 등의 연작을 포괄했기 때문이다. 동요의 총량이라 할 269곡의 목록을 제1권에 수록하는 것으로 아쉬움을 대신한다.

제2권은 '산문 편'이다. '회고록', '나의 형제', '일기', 소설 「눈보라」, 기타 수필, 그리고 '투병기' 등을 수록했다. 이 가운데 '회고록'과 '나의 형제'는 일기에서 가려 뽑았다. 일기는 1990년에 시작하여 2011년에 끝을 맺었으니 족히 20년의 기록이다. 일기는 매년 한국방송작가협회에서 보내온 '작가 수첩'에 빼곡히 적혀 있었다.

4남 1녀 가운데 막내인 아버지는 해방 직후 월북한 세 형들로 인해 많은 고초를 겪으셨다. 그러다 둘째 형(작곡가 정추)이 카자흐스탄에 생존해 있다는 소식을 전해온 것은 1989년이었다. 막내로서 맏이 역할을 하며 외롭게 살아오다가 막상 둘째 형과 극적으로 상봉했을 때의 감흥이 어떠했을지는 짐작이 가고도 남는다. 다만 단순히 기쁘다는 말로 설명할 수 없는 다른 차원의 슬픔이 차올랐을 것으로 생각된다. 그게 일기를 쓰기 시작한 계기였을 것이다.

'회고록'은 2003년 3월 7일~4월 19일에 걸친 일기에서, '투병기' 역시 2003년 4월 20일~5월 12일에 걸친 일기에서 수습되었다. 말년에 콩팥과 폐를 하나씩 떼어내는 대수술을 받고 회복하는 동안 신(神)과 대화하는 형식으로 생명의 의미를 발견하고자 했던 강한 집념을 엿볼 수 있는 기록이어서 후세에 전하고자 한다.

특기할 것은 2008년 일기에서 소설 「눈보라」가 수습되었다는 점이다. 초록색 잉크로 써내려간 도입부는 잉크 부족으로 희미한 자국만 남아 있었으나 자꾸 읽어가는 동안 눈에 익어 전체를 파악하게 되었다. 만주에서 태어난 빨치산의 딸이 일제 강점기를 거쳐 6·25전쟁 때 미군 LST함정을 타고 흥남에서 부산으로 내려오기까지의 과정을 그리고 있다. 주인공에게 아버지 자신의 출생연도인 1930년생을 부여하고 공간적 배경을 만주에서 부산까지 확대시킨 대담한 창작 스케일을 느낄 수 있다. 미완으로 끝나 아쉽지만 한국전쟁의 비극을 형상화했다는 점에 남다른 의미가 있어 수록했다.

아버지의 20년치 일기를 읽어가는 동안 처음으로 진솔한 대화를 나누는 것 같아 가슴이 아팠다. 일기는 깔끔한 단문이 대부분이었지만 어떤 날은 작정을 한 듯 10여 쪽, 혹은 20여 쪽에 이른 것도 있었다. 일기를 앞에 두고 고심한 끝에 굳이 공개할 필요가 없는 사사로운 내용을 제외한 나머지를 전집에 포함시키는 것이 한 동요작가의 내면을 살피는 데 중요하다고 판단해 수록했다.

뜻밖의 일은 이산가족으로 뿔뿔이 흩어져 살았던 반세기의 공백 속에 아버지는 동요작곡가, 아버지의 둘째 형은 클래식 작곡가가 되어 있었다는 점이다. 형제가 약속이나 한 듯 평생을 음악에 종사했다는 것은 꿈에도 예상치 못한 일이었다. 형제는 음악과 세상을 연결하려고 했다. 음악이 무엇을 의미하는지 역사는 알려주지 못하지만 음악은 역사에 대해 뭔가를 말해줄 수 있다.

아버지는 한국전쟁 직후 고향인 광주에서 동요 작곡을 시작했다. 그때는 전쟁으로 파괴된 건물을 재건하는 일만큼이나 전쟁으로 상처받은 아이들의 마음을 치유하고 순화하는 일이 시급했다. 무엇보다 새로운 시대에 맞는 새로운 동요가 필요했다. 1950년대에 작곡한 「우체부 아저씨」「비야, 비야 오지 마라」 등이 그것이다. 지금의 어른 세대가 부르던 대부분의 애창 동요가 이 시기에 만들어진 노래이다.

제3권은 유고 '말하는 이야기 동화'이다. 일기에 따르면 '말하는 이야기 동화'는 2000년 5월 5일 "이제 어린이를 위한 '말하는 이야기 동화'가 성숙되어간다."라고 언급되어 있다. 정근에게 있어 이야기는 고향과 같다. 정근은 어머니에게서 옛이야기를 듣고 자랐으며 옛이야기는 늘 마음의 고향으로 각인되었다. 말년에 원고지 대신 PC로 작업한 '말하는 이야기 동화'는 입력과정의 실수로 여러 차례 삭제되는 우여곡절을 겪었다. 이런 사실을 잘 알고 있기에 뒤늦게나마 따로 단행본으로 묶고 싶었다. 부제 '옛이야기에 새 옷을 입히려면'에서 짐작할 수 있듯, 입말로 들려주는 구연동화에 대한 남다른 애착이 느껴지고도 남는다.

아버지는 2015년 1월 15일 오후 5시, 서울 도봉구의 한 요양병원에 입원했고, 다음 날인 16일 새벽 4시경 숨을 거두셨다. 입원한 지 9시간 만의 일이었다. 아버지는 70대에 도봉성당의 합창단 지휘자로 봉사활동을 하셨다. 그때 합창단 단원이던 병원장은 한눈에 아버지를 알아보고 반갑게 맞아들였다. "앞으로 4, 5년은 너끈하게 사실 테니 입원하시면 선생님의 자작곡을 요양원 입원 환자들과 함께 불렀으면 좋겠다."라며 아버지를 안심시켰는데…. 그날 하늘이 무너졌다. 사망원인은 '전해질 이상으로 인한 심정지'였다. 아버지가 안치된 방에 들어가 이마를 움켜잡았을 때 체온은 아직 따스했다.

나는 아버지의 눈물을 본 적이 없다. 속으로야 누구보다 많은 눈물을 흘리셨을 테지만…. 아버지는 평소에 자주 눈을 깜박거리셨다. 증발성 안구건조증 때문이었다. 눈물이 부족하거나 눈물 층의 균형이 깨지면 증발성 안구건조증이 된다.

나는 '증발'이라는 단어에 방점을 찍는다. 왜 아버지의 눈물은 유독 증발이 빨랐을까. 슬픔을 빨리 증발시키지 않으면 안 되는 이유라도 있었던 것일까. 남들이 볼까봐, 혹은 자식에게 들킬까봐. 그렇다면 이 전집은 남들 몰래 무수히 증발시킨 한 동요작가의 눈물에 관한 이야기가 될 수 있을 것이다.

만돌린과 기타, 그리고 바이올린을 끼고 살았던 형들의 영향으로 어린 시절부터 음악에 심취했던 아버지였다. 형들의 월북 이후 연좌제의 누명을 쓰고 옥고를 치렀기에 상대적으로 어떤 이데올로기에서도 자유로운 동요 창작에 매달렸던 것 같다. 아버지가 지은 1950년대 동요는 광주의 신생유치원과 영생유치원 교사 시절에 어린이들과 함께 생활하면서 창작한 12편으로 파악된다. 아버지는 전쟁의 폐허 속에서 상처받은 고아나 어린이들의 동심을 회복하고 미래의 희망을 주기 위해 동요를 작곡했다. 특히 가장 감수성이 민감한 만 6세 이하의 유아들을 위해 스스로 작사한 가사에 곡을 붙였다.

아버지의 별명은 '텔레비전 할아버지'였다. 그러나 텔레비전에 나오지 않는 방송인이자 동요작가였다. 지금은 텔레비전이 없는 세상을 생각할 수 없다. 그러나 1960년대만 해도 텔레비전은 동네 사람들이 함께 모여 보는 안방극장이었다. 동요「텔레비전」은 흑백 TV가 컬러 TV로 변하기 직전인 1970년대 말에 작사 작곡한 대표곡 가운데 하나이다. 아버지는 전파시대의 본격적인 개막과 함께 텔레비전에 나오고 싶어 하는 어린이들의 꿈을 동요에 담아냈고「둥글게 둥글게」등의 동요를 통해 어깨를 들썩이는 율동을 보여주었다.

KBS방송국 어린합창단 지도자로 활동한 아버지는 KBS 간판어린이프로그램인 '영이의 일기' '모이자 노래하자' '누가 누가 잘하나'와 TV 유치원 '하나 둘 셋', '딩동댕 7시다' 등의 방송작가로도 활동했다. 또「폭풍 속의 아이들」을 비롯한 다수의 어린이 뮤지컬을 창작해 무대에 올림으로써 아동극 창작에도 주력했다. 말년엔 「마고할멈」 등 어린이그림책 제작에도 열정을 쏟았다.

　글을 쓰고 있는 동안 폭우가 쏟아졌다. 전국 강수량 200㎜. 서울에도 150㎜가 단 몇 시간 만에 내렸다. 북한산 계곡에서 내려오는 빗물로 우이천도 그득그득 수량이 많아지더니 천변 산책길까지 넘실거렸다. 왜가리 한 마리가 불어난 물을 피해 천변에 외다리로 선 채 흐르는 물을 굽어보고 있었다. 모든 게 흘러갔구나, 혼자 남았구나, 물은 없다가도 넘치도록 있구나, 하는 시선으로…. 왜가리가 나 자신이었다.

　아버지는 언젠가 나직한 목소리로 말씀하셨다. "너도 외롭겠구나." 이제야 그 말의 의미를 깊이 새기게 된다. 외로움은 나와 아버지를 동일화시키는 매개체였는지도 모른다. 물이 지나간 자리에 푸른 나뭇가지와 모래알갱이들이 하류의 방향으로 빗살무늬를 이루고 있었다. 아, 아버지가 다녀가셨구나, 하는 순간, 나는 외롭지 않았다. 그건 아버지가 남겨놓은 흔적이라는 것을 우이천의 낮아진 수위는 말없이 들려주었다. 아버지라는 물이 그득그득 흐를 때는 미처 느끼지 못했던 존재의 정밀성을 뒤늦게 유고를 수습하며 알게 되었을 때의 자괴감은 형용할 길이 없다. 말년에 몸져누운 아버지는 아들인 나의 발소리를 기다렸는지도 모른다. 하지만 아버지를 찾아뵌 것은 가끔뿐이었고 아버지와 진솔한 대화를 나누는 것이 이토록 아버지 사후라는 게 믿어지지 않는다.

　아버지는 언젠가 "여러 초등학교의 교가를 수십 편 지어 기증했다"고 말했지만 일일이 수소문하기엔 손이 모자랐다. 말년엔 소장하고 있던 방송 시나리오 대부분을 한국방송작가협회에 기증했으나 이 역시 수습하지 못했다. 그밖에도 적지 않은 동화와 뮤지컬 대본, 인형극 대본과 노래극 시나리오 등이 남아 있지만 혼자 감당하기엔 역부족이었다. 모든 점에서 부족하고 문외한인 제가 이 방대한 일을 자청하여 수년 간

매달렸으나 미처 살피지 못한 부분이 더 많을 줄로 안다. 아쉽고 모자란 부분이 있다면 이해해 주시기를 부탁드린다.

    글을 마치려니 아버지의 손을 잡고 광주교대 부속 영생유치원에 다니던 1964년의 한때가 아련히 떠오른다. 아름드리 히말라야 시다에 둘러싸인 아름다운 교정을 마음껏 뛰어다니며 모래밭에서 친구들과 함께 두꺼비집을 만들던 시절, 유치원 교사였던 아버지는 나를 지목해 동요 「어린 송아지」를 선창케 했다. "어린 송아지가 굴뚝 위에 앉아 울고 있어요~ 엄마아, 엄마아, 엉덩이가 뜨거워"라고 목청을 높일 때 얼굴은 화끈거렸다. 하지만 고백하건대 나는 아버지의 아들이라는 게 늘 자랑스러웠다. 아버지 영전에 이 전집을 바친다.

2022년 3월
우이천이 내다보이는 창가에서
불초(不肖) 정철훈 씀

Part 1 · 동시

1장 – 동요로 불리는 동시(73편) ·· 37

2장 – 곡을 붙이지 않은 동시(58편) ······· 111

3장 – 새로 발굴된 동시(44편) ······· 171

Part 2 • 동시에 붙이는 말

Part 3 • 동요

1장 – 노랫말 쓰고 곡을 붙인 동요(75곡) ·· 237

Part 1

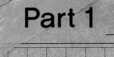

동시

1 장

동요로 불리는 동시
(73편)

텔레비전

텔레비전에
내가 나왔으면
정말 좋겠네 정말 좋겠네
춤추고 노래하는 예쁜 내 얼굴
텔레비전에
내가 나왔으면
정말 좋겠네 정말 좋겠네

텔레비전에
엄마 나왔으면
정말 좋겠네 정말 좋겠네
애기가 엄마하고 부를테니까
텔레비전에 엄마 나왔으면
정말 좋겠네 정말 좋겠네

안마를 합시다

쫌쫌쫌쫌 찌깨찌깨찌 쫌쫌쫌 찌깨찌깨찌
어깨춤을 추면서 손 흔들며 모이자
앞사람을 안마합시다
쿵쿵 치자 가볍게 쿵쿵 치자 가볍게
쿵쿵쿵쿵 살살살살 쿵쿵쿵쿵쿵
쿵쿵쿵쿵 살살살살 다시 또 한 번

주무르자 양쪽 어깨를 두 손으로 가벼웁게
어깨부터 허리까지 리듬에 맞춰서
즐거웁게 안마합시다
쿵쿵 치자 가볍게 쿵쿵 치자 가볍게
우리들은 사이좋은 어깨동무들
아침저녁 모이면은 서로 도와요

혼자서 할 때에는 다리운동 먼저 합시다
무릎 치면서 고개를 흔들흔들 하품을 하여 봅시다
쿵쿵 치자 등허리도 쿵쿵 치자 내 어깨도
팔다리도 살살살살 즐거운 놀이 손목팔목팔다리도 돌려봅시다

김치깍두기

새하얀 배추를 송송송
하얀 무도 쫑쫑쫑
곱게곱게 다듬어 김장을 하자
김치깍두기 맛있어요

새하얀 소금도 뿌리고
빨간 고추가루도 뿌려서
맛이 있게 버무려 김장을 담자
김치깍두기 맛있어요

그게 뭘까

과일가게 과일들이 싸움이 났네
커다란 수박이 과일이냐고
옳지 옳지 그렇지 그게 뭘까
과일은 나무에 매달리잖아
그럼 그럼 수박은 넝쿨열매야
그래 그래 수박은 넝쿨열매야

만약 수박이 나무가지에
주렁주렁은 열린다면은
정말 정말 그것은 큰일이야
사람이 나무 밑에 지나가다가
그래 그래 수박이 떨어지면은
아야 아야 머리를 다칠거예요

숨바꼭질

나는 나는 술래다 꼭꼭 숨어라
그래 그래 알았다 우리는 꼭꼭 숨었다
술래가 눈 떴다 머리카락 보일라

---

* 놀이요
  가위 바위 보로 술래가 정해지면 먼저 술래가 노래하며 눈을 가린다.
  숨는 아이들이 다 같이 노래하면서 사방으로 분산하여 노래하면서 숨는다.
  다음은 선생님이 아이들을 살피면서 노래한다.

손을 잡고

우리 모두 손을 잡고 춤추자 춤추자 하나 둘 셋
손을 잡고 뛰놀면서 즐겁게 즐겁게 하나 둘 셋

손을 잡고 흔들면서 깡충깡충 하나 둘 셋
마주보고 라라라라 손뼉을 손뼉을 하나 둘 셋

빙빙 돌아서 한 줄 되어서 앞으로 앞으로 하나 둘 셋
손을 잡고 뒤로 나가서 인사를 인사를 하나 둘 셋

발을 굴리자

쿵쿵쿵 발을 굴리자 북소리에 맞추어서 쿵쿵쿵
찰랑찰랑 찰찰이로 즐겁게 친구들이 함께 모여 쿵쿵쿵

짝짝짝 손뼉을 치자 찰찰이에 맞추어서 짝짝짝
칭칭칭칭 칭칭이로 즐겁게 우리 식구 모두 모여 짝짝짝

비야 비야 오지 마라

비야 비야 오지 마라
우리 언니 시집갈 때
가마꼭지 물든다
비야 비야 오지 마라

집 지어라

꿩아 꿩아 집 지어라 새야 새야 물 길어
이층 삼층 집 지어라 높이 높이 지어라

방아 방아 물방아야 빙빙 돌아 찧어라
은싸래기 금싸래기 번쩍번쩍 빛난다

내가 그린 그림

내가 그린 그림은
엄마도 아빠도 못 그려요
동그란 얼굴에 수염은 하나
모습은 달라도 할아버지다

내가 그린 그림은
언니도 오빠도 못 그려요
네모난 얼굴에 두 눈은 반짝
모습은 달라도 대장이다

깨끗이 깨끗이

깨끗이 깨끗이 깨끗이 치우자
놀던 자리는 내 손으로 깨끗이 치우자
놀고 나면 손발도 깨끗이 깨끗이

깨끗이 깨끗이 깨끗이 치우자
밖에 나갔다 돌아오면 손발도 깨끗이 깨끗이
우리 식구 다함께 깨끗이 깨끗이

낮잠

엄마하고 자장
아기하고 자장
자장자장 고양이도
잠드는 낮
우리 모두 자장

인형하고 자장
베개하고 자장
자장자장 바둑이도
잠드는 낮
우리 모두 자장

사이좋게 나눠먹자

캬라멜 한 알이 때굴때굴
캬라멜 두 알이 때굴때굴
한 알은 애기 주고 한 알은 내가 먹고
서로서로 사이좋게 나눠먹자

줄넘기

줄줄 줄넘기 깡충깡충 뛰어라
하나 둘 셋 넷 백까지 뛰어라
찬바람이 불어와도 우리들은 즐겁다
줄줄 줄넘기 즐겁게 놀자

줄줄 줄넘기 사뿐사뿐 뛰어라
힘차게 사뿐 더 높이 뛰어라
달나라까지 뛰어라 사이좋게 뛰어라
줄줄 줄넘기 즐겁게 놀자

안녕 안녕

두 손을 곱게 모아 안녕 안녕
한 손을 높이 들어 안녕 안녕
선생님 선생님 안녕 안녕
아버지 어머니 안녕

모자를 벗으면서 안녕 안녕
방긋이 웃으면서 안녕 안녕
언제나 만나면 안녕 안녕
모두 다 손잡고 안녕

나는 싫어요

나는 나는 나는 착한 어린이
밖에 가면 앵앵 집에서는 북북
싫어요 싫어요 나는 싫어요
울보와 떼쟁이는 나는 싫어요

나는 나는 나는 예쁜 어린이
엄마젖을 쪽쪽 해가 떠도 쿨쿨
싫어요 싫어요 나는 싫어요
어린양보 잠꾸러기 나는 싫어요

눈이 내리면

눈이 내린다 펄펄 하얀 설탕 되어라
마음대로 사탕을 먹고 싶어요

눈이 내린다 펄펄 하얀 솜이 되어라
꼬까이불 만들어 덮고 싶어요

눈이 내린다 펄펄 하얀 소금 되어라
바닷물을 만들어 헤엄치고 싶어요

눈이 내린다 펄펄 밀가루가 되어라
맛있는 빵을 만들어 나눠먹고 싶어요

가게 놀이 할 사람

가게 놀이 할 사람 이리 붙어라
여기는 새로 생긴 시장이다
생선가게 채소가게 신발가게
나는 나는 문방구 방구 아저씨

세수

아침에 일어나면 세수 먼저 해야지
손발도 깨끗이 머리도 깨끗이
예쁜 얼굴 방글방글 참새도 짹짹짹
깨끗한 얼굴은 참 예쁜 얼굴

싹싹 닦아라

싹싹싹싹 싹싹싹싹 이를 잘 닦자
앞니를 잘 닦으면 방긋 웃는 이
싹싹싹싹 닦아라 속니 어금니
반짝반짝 하얀 이는 튼튼한 이

이를 닦자 우리 모두 하루 다섯 번
아침에 일어나서 윗니 아랫니
밥 먹고는 날마다 깨끗이 닦자
자기 전에 닦는 이는 충치도 없다

그네를 타자

훨훨 날아보자 그네를 타자
아빠가 밀어주면 제비같이 날은다
무지개가 보인다 푸른 하늘 저 멀리

훨훨 날아보자 그네를 타자
엄마가 밀어주면 나비같이 날은다
저어 멀리 보인다 예쁜 꽃만 보인다

기린

기린아 기린아 너는 목이 길어 좋겠다
산 넘어 바다도 잘도 잘도 보이겠지
나도 한 번 보여주면 예쁜 리본 달아주지

기린아 기린아 너는 키가 커서 좋겠다
바다 넘어 저쪽에 뭐가 뭐가 잘 보이니
나도 한 번 보여주면 좋은 친구 하자구나

시이소오

시이소오 시이소오 시소놀이
재미있다 어서 타보자
네가 먼저 올라가면 내가 내려가고
올라갔다 내려갔다 정말 재미있구나
올라가면 푸른 하늘 내려오면 우리 땅
재미있는 시이소놀이

가위바위보

앞으로 한 발 뛰어나갔다
앞으로 두 발 뛰어나갔다
가위바위보 가위바위보
내가 이겼다 어서 잡아라

---

* 놀이요

횡대로 서로 마주보고 사오 명씩 떼를 지어 손잡고 선다.

그리고 좌우 대열의 뒤편에 한 안전지대를 지정하여 나무 혹은 자기 편이 모두 들어갈 수 있는
동그라미를 그려둔다.

놀이는 가사내용대로 서로 한 발 앞으로 가고 또 두 발 앞으로 나가서 서로 가까워지면 가위바위
보를 한다.

이긴 편은 안전지대로 달려가고 진 편은 잡으러 간다.

진 편에 잡힌 사람은 진 편이 되어 놀이는 몇 번이고 진행된다.

무엇일까요

우리 모두 손뼉 치며 눈을 가리자
○○가 감춘 것은 무엇일까요
알듯 말듯 하지마는 아직 몰라요
내가 감춘 것은 무엇일까요

---

* 놀이요
    술래가 된 어린이는 둥글게 앉은 친구들 중앙에 보자기 속에 감춘 물건을 들고 와 선다.
    다 같이 손뼉 치며 4마디 노래하면 선생님이 노래하고 다음은 다 같이 노래한다.
    끝으로 술래가 감춘 보자기로 모인다. 선생님은 무엇일까요, 라고 묻는다.
    그럼 알아맞힌다.

연아 연아 올라라

연아 연아 올라라 바람타고 올라라
구름까지 올라라 하늘까지 동동동

소나기

소나기가요 줄 같이 내린다
좍좍 우리 마당에
내가 벗어논 고무신을 신고요
둥실둥실 떠내려간다

소나기가요 갑자기 그쳤다
뚝뚝 물방울 소리
내가 쌓아논 모래성에 구멍이
벙긋벙긋 더 커져가요

우체부 아저씨 1

아저씨 아저씨 우체부 아저씨
큰 가방 메고서 어디 가세요
큰 가방 속에는 편지 편지 들었지
동그란 모자가 아주 멋져요
편지요 편지요 옳지 옳지 왔구나
시집간 언니가 내일 온대요

우체부 아저씨 2

아저씨 아저씨 우체부 아저씨
큰 가방 메고서 어딜 가세요
어딜 가세요 어딜 가세요 큰 가방 메고서 어딜 가세요
오냐 오냐 오냐 오냐 편지 주인 찾아간다 길을 비켜라
잠깐만 기다리세요 개조심하세요

큰 가방 속에는 편지 편지 들었지
동그란 모자가 아주 멋져요
아주 멋져요 아주 멋져요 동그란 모자가 아주 멋져요
오냐 오냐 오냐 오냐 멋쟁이 아저씨다 길을 비켜라
잠깐만 기다리세요 차조심하세요

편지요 편지요 옳지 옳지 왔구나
시집간 언니가 내일 온대요
내일 온대요 내일 온대요 시집간 언니가 내일 온대요
오냐 오냐 오냐 오냐 내일온다 기쁘겠다 길을 비켜라
잠깐만 기다리세요 길조심하세요

고추잠자리

싱싱 날아라 잠자리 비행기
들판을 날아가는 멋진 비행기
푸른 하늘 지키는 벌레나라 비행기
하늘의 용사다 고추잠자리

싱싱 날아라 잠자리 비행기
하늘을 마음대로 날으는 비행기
나도 나도 하늘을 날고 싶구나
저 멀리 산을 넘어 가고 싶구나

토마토

토마토는요 빨갛구요
정말로 정말로 어여쁘지요

토마토는요 동그랗구요
정말로 정말로 귀여웁지요

토마토는요 먹으면은요
정말로 정말로 맛이 있어요

안녕히 안녕

동실동실 햇님이 서산에 가면
왼쪽 길로 안녕히 가시라고요
손에 손에 손을 잡고 안녕히 안녕
선생님과 친구들도 안녕히 안녕

쭈루르르 미끄럼

때구르르르 구르고 쭈루르르르 미끄럼
곰돌이 겨울놀이 재미있구나
미끌미끌미끌 쭈르쭈르쭈르
쭈르르 뒹굴 곰돌이 겨울 미끄럼

가을 운동회

오늘은 즐거운 가을 운동회
깃발을 날리면서 우리 모두 힘차게
저쪽 편아 이겨라 우리 편도 이겨라

선생님도 엄마도 달리기 선수
누가 누가 잘 뛰나 내기 한번 해보자
선생님도 이겨라 우리 엄마 이겨라

펭귄

뒤뚱뒤뚱 얼음나라 펭귄 친구는
날개는 있어도 날지 못해요
뒤뚱뒤뚱 걷는 모습 우습구나야

뒤뚱뒤뚱 하얀 배를 내밀고 가네
고기잡이 간다고 뽐내는 거야
뒤뚱뒤뚱 바닷물에 풍덩 빠졌다

꼬마 염소

음매음매 꼬마 염소가
파란 잔디에서 울고 있어요
아직도 두 살밖에 안되었는데
턱 밑에 하얀 수염 자라났다고

음매음매 하얀 염소가
까만 염소보고 울고 있어요
자기도 까만 옷을 입고 싶다고
짜증내는 소리 귀여웁지요

일년
- 봄 여름 가을 겨울

겨울이 하얀 도화지라면
봄은 분홍 꽃이랍니다
여름이 파란 하늘이라면
가을은 빨간 단풍이래요

새로 사귄 좋은 친구들

안녕하세요 나의 친구들
샛별 같은 예쁜 눈동자
방글방글 웃으며 뛰어 놉시다
우리는 새로 사귄 좋은 친구들

안녕하세요 나의 친구들
한길에서 서로 만나면
생글생글 웃으며 인사 합시다
우리는 새로 사귄 좋은 친구들

눈이 오는데

흰 눈이 펑펑펑 쏟아지는데
바둑이는 눈 위에서 꼬리친대요
눈 속에 묻히면은 어떡하려고
어서어서 화롯가로 뛰어 오너라

흰 눈이 펑펑펑 쏟아지는데
참새들이 나무에서 지저귄대요
가지가 부러지면 어떡하려고
어서어서 둥지 찾아 날아가거라

소풍 가는 날

오늘은 즐거운 소풍날이다
도시락 과일 과자 어깨에 둘러메고
친구들과 손에 손 잡고 들로 나가자
들에 핀 예쁜 꽃도 반겨줍니다
우리들의 즐거운 소풍날

야 신난다 오늘은 우리 집 소풍 가는 날
도시락 과일 과자 물통을 둘러메고
엄마아빠 손에 손 잡고 시원한 개울가로
참새가 지저귀는 숲으로 가자
오늘은 우리 집의 소풍날

꽃을 가꿉시다

꽃과 나무를 가꿉시다
물을 주고 거름을 주고
꽃이 피면 꺾지 말고
우리 모두 사랑합시다
봄에 피는 예쁜 꽃도
내 손으로 가꿉시다
아름다운 꽃밭을
내 손으로 가꿉시다

바람아 불어라

눈에는 안 보여도 지나가는 바람에
나뭇가지 흔들흔들 장단 맞춰 춤춘다
바람아 불어라 나무야 춤춰라
바람아 불어라 팔랑팔랑 불어라

바람개비

빙글빙글 빙글빙글 돌아가는 바람개비
푸른 바람 마시며 푸른 들을 달린다
하늘에는 새들이 노래하며 날으고
들에 핀 꽃들도 춤춘다
바람개비 돌리며 우리도 달린다

빙글빙글 빙글빙글 돌아가는 바람개비
저녁노을 아름다운 언덕길을 달린다
냇가에는 물새가 노래하며 날으고
들에 핀 꽃들도 춤춘다
바람개비 돌리며 우리도 달린다

불조심

냉냉냉냉 냉냉냉냉 냉냉냉냉 냉냉냉냉
꺼진 불도 다시 보자 자나깨나 불조심
불 불 불조심 불조심

불조심 불조심 불조심 불조심
불내고 울지 말자 너도 나도 불조심
불 불 불조심 불조심

눈꽃

하늘에서 날아온 하얀 눈꽃은
반짝반짝 빛나는 얼음꽃이래
구름 속에 숨었다 내려왔지요
바람에 날아온 눈꽃송이죠

온 세상이 새하얀 눈 나란가봐
나무에도 눈꽃이 피었습니다
하늘에서 날아온 하얀 눈 나라
더없이 깨끗한 하얀 눈 나라

바다

바다는 넓구나 푸르구나
햇님도 떠오르고 달님도 지고
바다는 넓구나 끝없는 푸른 바다

바다는 넓구나 푸르구나
저 건너 아이들을 불러 봐도
대답이 없구나 파도만 넘실넘실

바다는 넓구나 푸르구나
고깃배 둥실 둥실 멀리 간다
손짓을 하여도 말없이 떠나간다

가랑잎

가을바람에 신나게 놀아나는 노랑 빨강 가랑잎
파란 하늘에 금을 그며 재주 넘는 가랑잎
흰 눈이 오기 전에 마음대로 날아라

산들바람에 멀리서 날아온다 노랑 빨강 가랑잎
높은 돌담을 마음대로 넘어오는 가랑잎
가을이 가기 전에 마음대로 날아라

봄 오는 소리

사르르르 먼 산에 눈이 녹으면
얼음장 밑으로 봄 오는 소리
조르르 조르르 개울물소리
따스한 봄바람에 실려옵니다

산모퉁에 아지랑이 피어오르면
땅속에 새싹들의 숨 쉬는 소리
바스슥 힘차게 잠깨는 소리
따뜻한 햇빛 속에 들려옵니다

봄이 온다네

라라라라 봄바람이 불어오며는
마른 나뭇가지에 새움 돋고요
땅 속에 잠든 벌레도 잠을 깨 나와
바스삭 바스삭 봄이 온다네

졸졸졸졸 개울물이 녹아내리면
개나리꽃 진달래 피어나고요
어디선가 벌 나비도 훨훨 날아든다
우리들 마음에도 봄이 온다네

눈꽃 나라

아기가 잠든 사이에 하얀 눈이 내렸다
송이송이 눈꽃송이 예쁜 꽃이 피었다
눈 나라 꽃밭을 옮겨 왔나봐
하얀 눈아 송이송이 곱게 피어라

아기가 타고 놀던 세발자전거에도
하얀 눈이 보송보송 많이 많이 내렸다
꿈속에 눈 나라를 다녀왔나봐
눈 나라 예쁜 꽃들 많이 피어라

고드름

고드름 고드름
처마 밑에 고드름
해가 지면 좋아서
길게 길게 자란다
해가 뜨면 싫어서
눈물을 흘린다
뚝뚝 또로로롱
잘도 녹는다

겨울밤

가랑잎이 하나 둘 떨어지는 밤
멀리서 부엉 부엉 우는 소리에
겨울밤은 자꾸만 깊어만 간다
시골 가신 엄마가 생각납니다

함박눈이 내리는 한겨울밤에
부엉새 부엉부엉 우는 사이에
산도 들도 하얗게 눈이 쌓이네
서울 가신 아빠가 언제 오시나

밤하늘

햇님 아빠 잠이 든 넓은 하늘에
아기별이 반짝반짝 눈을 뜨지요
언니별 동생별 모두 모여서
달님 엄마 노래 맞춰 춤을 추지요

새들도 잠이 어두운 밤에
아기별이 혼자 나와 울고 있다가
혼자서 무서워 깜박 깜박여요
달님 엄마 숨기 전에 어서 가거라

오월의 노래

오월은 우리의 달 즐거운 나날
푸른 들판에 날으는 새처럼 날아가리라
줄기찬 희망봉을 찾아서 가자
오월은 희망의 달 우리들의 달

불러라 나의 노래 희망의 노래
넓은 들판에 노래를 부르며 앞서 가리다
새 날의 꿈을 싣고 힘차게 가자
오월은 희망의 달 우리들의 달

꽃가루 날리자

산에는 산바람 들에는 들바람
바람이 부는 언덕에 꽃가루 날리자
파랑색 노랑색 빨강색 오렌지색
산에는 푸른 꿈 들에는 오색 꿈

푸른 산새소리 풍기는 꽃향기
꽃 너울 퍼진 동산에 큰 꿈을 키우자
파랑색 노랑색 빨강색 오렌지색
하늘은 밝은 빛 마음은 오색 꽃

노래는 즐거워

노래는 노래는 아름답고 즐거워
노래는 노래는 아름다운 샘물
노래는 노래는 나의 친구
이 세상 모든 것 모두 떠나도
노래는 영원한 마음의 고향
노래는 노래는 영원하리

노래는 노래는 밝고 고운 마음씨
노래는 노래는 마음의 다리
노래는 노래는 나의 친구
노래를 부르면 마음은 하나
노래를 부르면 뜻도 하나
노래는 노래는 영원하리

즐거운 설날

설설설설 즐거운 설날
동네방네 뛰다니며 세배하는 날
밤 대추 흰 떡 먹고 떡국도 먹고
까치동무 노래하는 즐거운 설날

설설설설 새로 온 설날
새 신 신고 꼬까입고 놀이하는 날
너 방긋 나 방긋 한 살 더 먹고
해도 달도 방긋방긋 즐거운 설날

옛날이야기 해주세요

이야기를 해주세요 옛날 옛날이야기
호랑이가 어흥어흥 여우가 컹컹
재미있는 이야기를 들려주세요

잠자리 모자

모자를 썼는데 눈이 보이네
구멍 난 내 모자
잠자리 잡다가 찢어진 모자
밀대로 만든 내 모자
그래도 산에 들에 쓰고 다니면
잠자리가 모자에 앉아
소곤 소곤거려요
나를 잡지 말라고
우리 서로 친구 되자고

88올림픽

아, 번영의 나래 위에 오색은 빛난다
손에 손 잡고서 발걸음 가볍게
세계는 지금 서울의 광장으로 모인다
다가온다 모두들 힘차게
아, 아, 활기찬 민족의 자랑
영원히 빛내자 팔팔 올림픽

꿈속에 그리는 고향

간밤에 꿈속에서 뵈었습니다
나를 꼭 안아주신 어머님의 그 모습
소도 가고 새도 가고 바람도 오가는데
마음 하나 보낼 길 없어 무심한 별빛만 보네
내 고향에 나는 가고저 구름 오가는 그곳
산도 물도 단숨에 뛰어 맘과 맘을 이어나보자

밤사이 잘 주무셨나 걱정이 됩니다
멀리서 바라보신 어머님의 눈동자
달도 가고 해도 가고 나이도 다 가는데
소식 하나 들을 길 없어 그리워 잠 못 이루네
내 고향에 그리운 향기 꿈엔들 잊으리오
달아달아 멈춰서다오 밤을 좀 더 이어나보자

충효가

삼천리 금수강산 아름다운 이 나라
예의로서 오랜 전통 이어온 우리 겨레
동방의 빛이어라 나라 사랑 효도의 길
온누리가 지켜가자 우리의 자랑

국조이신 단군님의 삼강오륜 이어받아
나라에 충성하고 부모님께 효도하며
은사님을 존경하고 사천만의 힘을 모아
남북통일 이룩하고 예의지국 이뤄보세

이야기를 들려주세요

즐겁고 재미나는 옛날이야기
신나는 이야기 들려주세요
형님 먼저 아우 먼저 서로 돕는
아름다운 이야기
욕심 많은 놀부 이야기
은혜 모르는 호랑이
아 아 즐거운 우리들의 이야기

아기가 놀다가

아기가 혼자 놀다 엄마를 보고
반가워 두 손 들고 달려오다가
짜박짜박 고인 물을 밟고 나서는
어느 새 엄마 생각 잊어 버렸네
짜박짜박짜박짜박 너무 재밌어
그 자리에 덥석 주저앉아서
짜박짜박짜박짜박 물장구 친다
뱅글뱅글 돌아가며 물장구 친다
흙탕물 속에서 물장구 친다
엄마도 아기도 흙투성이다
눈만 뻥 내놓고 흙투성이다
나는 나는 우리 엄마 제일 좋아요

아가야 왜 그러니 어서 오너라
엄마가 손짓하며 불러보아도
짜박짜박 물놀이가 너무 재밌어
어느 새 엄마 생각 잊어버리고
짜박짜박짜박짜박 너무 재밌어
그 자리에 덥석 주저앉아서
엄마가 달려와서 나오라 하자
엄마 엄마 같이 놀자 물장구 친다
흙탕물 속에서 물장구 친다
엄마도 아기도 흙투성이다
눈만 뻥 내놓고 흙투성이다
나는 나는 우리 엄마 제일 좋아요

무슨 소릴까

때굴때굴 때때굴

무슨 소릴까 무슨 소릴까

때굴때굴 때때굴

산새들이 둥지 찾아 돌아온 달밤

때굴때굴 때때굴 흉내를 낸다

살랑살랑 바람이 불어올 때면

땡그랑 땡그랑 풍경소리 듣고서

땡그랑 때굴 땡그랑 땡때때굴

그 소리를 흉내 내면서 굴러내린다

무엇일까 무엇일까 누가 버린 깡통일까

낙엽 위로 달려가는 방울소리일까

때굴때굴 때때굴

금잔디에 멈췄다

하하하하 알밤 잘 익은 알밤

고소한 알밤이었대

붕어빵

엄마가 시장갔다 돌아오실 때
따끈한 봉지를 갖다주었죠
이게 뭘까 살며시 냄새를
살며시 냄새를 맡아보니까
아 구수한 냄새 붕어빵 냄새
침이 꿀꺽 넘어갔어요
정말 정말 맛있는 냄새
침이 꿀꺽 넘어갔어요
정말 정말 맛있는 냄새

엄마 엄마 감사합니다
아빠도 안방에서 창문을 열고
순이야 이게 무슨 냄새냐
아빠도 붕어빵을 좋아하시죠
아빠도 너무 좋아 밖으로 나와
어렸을 때 먹어본 붕어빵이다
아빠도 좋아하시는 붕어빵 붕어빵
우리 아빠도 좋아하시는 붕어빵 붕어빵

즐거운 소풍

랄라랄라라 랄라랄 오늘은 즐거운 소풍날
손에 손 잡고서 들로 산으로 가자
푸른나무도 반겨준다 산새들도 노래한다
랄랄라 랄라랄라 즐거운 소풍날

랄라랄라라 랄라랄 오늘은 즐거운 소풍날
공기도 좋구나 마음대로 뛰놀자
푸른 바람이 불어오다 춤을 추며 노래한다
랄랄라 랄라랄라 신나는 소풍날

빵을 만들자

주물럭주물럭 주물럭주물럭
우유와 계란으로 반죽을 하자
새콤달콤 맛이 있는 엄마 솜씨를 보여주자
지지지지글지글 지지지 빵빵 맛좋은 빵을 만들자
얼시구 절시구 숲속의 빵 익어간다

주물럭주물럭 주물럭주물럭
국물을 조금 넣고 반죽을 하자
이 세상에 제일가는 엄마 솜씨를 보여주자
지지지지글지글 지지 빵빵 향긋한 빵을 만들자
얼시구 절시구 숲속의 빵 익어간다

침이 꼴깍

이게 무슨 냄샐까 어디서 나는 냄새일까
향기로운 냄새야 침이 꼴깍 넘어가네

정말 무슨 냄샐까 엄마의 냄새 빵냄새야
우리 엄마 솜씨야 침이 꼴깍 넘어가네

나 한 입만 줘

엄마 나는 먹고 싶어 나 한 입만 줘

마음씨 좋은 우리 엄마 나도 한 입만 줘

마음씨 좋고 예쁜 우리 엄마 나 한 입만 줘

하지만 하지만 그건 안 돼

누구나 똑같이 나눠 먹어야지

마음씨 좋고 예쁘고 친절한 우리 엄마

나도 한 입만 줘

마음씨 좋고 예쁘고 친절하고 상냥한 우리 엄마

나도 한 입만 줘

마음씨 좋고 예쁘고 친절하고 상냥하고 멋진 우리 엄마

나도 한 입만 줘

마음씨 좋고 예쁘고 친절하고 상냥하고 멋진 제일가는 우리 엄마

나도 한 입만 줘

굴러가는 빵

데굴데굴 데굴데굴 굴러간다
어머니가 만든 빵이 구른다
멈춰라 멈춰 빨리 멈춰라
데굴데굴 데굴데굴 어서 멈춰라
저기저기 굴러간다 어서 잡아라
떼떼굴 떼떼굴 굴러간다 빵

데굴데굴 데굴데굴 달려간다
어머니가 만든 빵을 잡아라
멈춰라 멈춰 거기 멈춰라
저기저기 굴러간다 어서 잡아라
저기저기 굴러산다 어서 잡아라
엄마가 만든 빵 맛 좀 보자 빵

내 이름은 빵빵빵

나는 나는 빵돌이 내 이름은 빵빵빵
빵가마에서 금방 나온 말랑말랑 빵이에요
어디를 가나 아이들이 제일 좋아하는 빵이야
나는 정말 어린이 친구 맛이 있는 빵빵빵

하지마는 들어봐요 빵을 많이 먹으면
배가 불쑥 나와서 오뚝이가 된대요
맛있는 빵은 친구들과 사이좋게 나눠먹자
우리들은 씩씩한 친구 서로 돕는 빵빵빵

꿀꿀이 노래

나는 나는 꿀꿀이

무엇이든지 잘 먹어요

그래서 이렇게 튼튼하지 않아요

골고루 골고루 먹어야지

나는 나는 꿀꿀이 먹보랍니다

골고루 먹는 애가 내 친구예요

꿀꿀 꿀돼지 밥잘 먹는 꿀꿀이

밥 잘 먹는 어린이가 제일 좋아요

2 장

곡을 붙이지 않은 동시
(58편)

망아지

망아지가 엄마 따라서
뚜벅뚜벅 걸어간다
엄마 말이 도망 갈까봐
따라가나봐

망아지가 엄마 떨어져
멀리 멀리 뛰어간다
금잔디가 파란 들판을
뛰고 싶나봐

비눗방울

비눗방울 날아간다
언니방울 아우방울
사이좋게 날아간다
바람 따라 둥둥둥

하늘에서 깜박 꺼졌다
무지개 비눗방울
쌍둥이 비눗방울
꺼지지 마라 꺼지지 마라

오리들의 학교

오리들의 학교는 재미있구나
선생님을 따라서 노래합니다
꽥꽥 꽥꽥꿀 꽥꽥 꽥꽥꿀
날개 치며 꽥꽥꿀

언니들을 따라온 애기오리도
노란 부리 벌려서 따라합니다
꽥꽥 꽥꽥꿀 꽥꽥 꽥꽥꿀
물갈퀴며 꽥꽥꿀

추석 달

달아달아 밝은 달 팔월 추석 달
때때옷을 갈아입고 어디로 갈까
뒷동산에 올라가 달마중하고
강강술래 놀이하고 뛰어놀지요

풀피리

풀피리 소리 들린다
피리리 피리리 피리리 피리리
들과 산에 울려 퍼진다 피리리
하늘엔 종다리 노래 부르고
숲 사이 가지가 춤을 춘다 춤을 춘다
피리리리리리 피리리리리 피리리리리
피리리리리 피리리피리리 피리리피리리
피리리피리리 피리리피리리 피리리피리리

즐거운 우리 집

하하호호 우리 집은 꽃이 피는 집
착한 사람 되어라 엄마의 말씀
튼튼하게 자라라 아빠의 말씀
하하호호 웃는 얼굴 즐거운 우리 집

솜사탕

나뭇가지에 실처럼 날아온 솜사탕
하얀 눈처럼 희고도 깨끗한 솜사탕
엄마 손잡고 나들이할 때 먹어본 솜사탕
호호 불면은 구멍이 뚫리는 커다란 솜사탕

버스여행

뛰뛰빵빵 뛰뛰빵빵

버스를 타고 갑시다 뛰뛰빵빵

실바람이 살랑대는 시골길 따라서

꽃피는 동산을 찾아 뛰뛰빵빵

즐겁게 달려갑시다 마음도 가볍게 랄랄

랄랄랄랄랄랄라 릴랄랄랄랄랄랄랄라

랄랄랄랄랄랄라 릴랄랄랄랄랄랄랄라

구름

저 멀리 하늘에 구름이 간다
외양간 송아지 음매음매 울적에
어머니 얼굴을 그리며 간다
고향을 부르면서 구름은 간다

저 멀리 하늘에 구름이 간다
뒤뜰에 봉선화 곱게곱게 필적에
어릴 제 놀던 곳 찾으러 간다
고향을 그리면서 구름은 간다

나의 하루

아침 햇빛 밝아오는 이른 아침에
두 손 모아 하루 일을 생각합니다
학교에선 동무들과 사이좋게 공부 잘하고
집에 오면 심부름도 잘 한답니다

저녁노을 아름답게 수놓을 때면
하루 일을 재미나게 얘기합니다
아빠 엄만 집안일 두루두루 돌봐 주시고
나는 나는 내일 공부 예습합니다

둥글게 둥글게

둥글게 둥글게 (손뼉) 둥글게 둥글게 (손뼉)

빙글빙글 돌아가며 춤을 춥시다 (손뼉)

손뼉을 치면서 (손뼉) 노래를 부르며 (손뼉)

랄랄랄랄 즐거웁게 춤추자

링가 링가 링가~ 링가 링가링

링가 링가 링가~ 링가 링가링

손에 손을 잡고 모두 다합게

즐거웁게 뛰어봅시다

둥글게 둥글게 (손뼉) 둥글게 둥글게 (손뼉)

빙글빙글 돌아가며 춤을 춥시다 (손뼉)

손뼉을 치면서 (손뼉) 노래를 부르며 (손뼉)

랄랄랄라 즐거웁게 춤추자

바람

산에 부는 바람은 장난꾸러기
파랑 파랑 잎새로 날아다니며
빨간 꽃잎을 그려놓아요

들에 부는 바람은 재주꾼이지
노랑 노랑 잎새로 날아다니며
하얀 눈꽃을 그려놓아요

춤추는 갈매기

흰 물결이 밀려오는 바닷가에서
춤을 추는 갈매기 떼 바라봅니다
스르르르 파도가 밀려오며는
파르르르 물결 위에 잘도 놉니다

흰 모래가 밀려오는 바닷가에서
물결소리 들으면서 춤을 춥니다
또르르르 사뿐사뿐 맴돌면서
니나니나 니나니나 잘도 놉니다

숲속의 노래

노루도 사슴도 뛰노는 숲속
햇님이 떠오르면 모여듭니다
앞발 들고 하나 둘 셋
뒷발 들고 하나 둘 셋
다람쥐도 산토끼도 모두 따라서
팔다리를 흔들면서 춤을 춥니다

부엉이도 뻐꾸기도 잠을 깨어서
아침인사 나누면서 모여듭니다
나뭇가지 흔들흔들 산들바람 살랑살랑
뻑뻑뻐꾹 뻑뻑뻐꾹 숲속의 아침
한 자리에 다 모여서 춤을 춥니다

꾸러기

나는 나는 어제까지 늦잠 자는 꾸러기였죠 아침 해가 동동동동 떠올라도 쿨쿨쿨
아니 아니 아니야 새해에는 그런 일 정말 정말 정말 정말 없을 거예요
아니 아니 아니야 새해에는 그런 일 정말 정말 정말 정말 없을 거예요

나는 나는 어제까지 욕심많은 꾸러기였죠 동생 것도 달달달달 모두 뺏어 용용용
아니 아니 아니야 새해에는 그런 일 정말 정말 정말 정말 없을 거예요
아니 아니 아니야 새해에는 그런 일 정말 정말 정말 정말 없을 거예요

나는 나는 어제까지 심술궂은 꾸러기였죠 자는 애를 깨워서 놀려보고 하하하
아니 아니 아니야 새해에는 그런 일 정말 정말 정말 정말 없을 거예요
아니 아니 아니야 새해에는 그런 일 정말 정말 정말 정말 없을 거예요

나는 나는 어제까지 몹쓸 장난꾸러기였죠 문구멍을 뚫어서 바람소리 쌩쌩쌩
아니 아니 아니야 새해에는 그런 일 정말 정말 정말 정말 없을 거예요
아니 아니 아니야 새해에는 그런 일 정말 정말 정말 정말 없을 거예요

보따리

보따리 보따리 싸들고 가시는
할아버지 보따리 할아버지 보따리 할아버지 보따리
시루떡 콩떡 빈대떡 보따리
손자들 주려고 싸 가시는 보따리

보따리 보따리 싸들고 가시는
할아버지 보따리 할아버지 보따리 할아버지 보따리
산나물 더덕 콩나물 보따리
저녁밥 반찬을 싸 가시는 보따리

오솔길

피리리 풀피리 소리 살며서 들려온다
언젠가 언니와 함께 거닐던 이 오솔길
피리리리 피리 불며 뛰놀던 이 오솔길
피리소리 따라가자 끝없는 이 오솔길

피리리 풀피리 소리 정답게 들려온다
산새도 날아와 놀던 고요한 이 오솔길
피리리리 피리 불며 숲속의 이 오솔길
피리소리 따라가자 끝없는 이 오솔길

반디 반디 반딧불

밤하늘에 반짝이는
반디반디 반딧불
햇님과 놀 땐 개똥벌레
달님과 놀 땐 우리들 친구
글 하나 읽고 별 하나 세고
마음을 밝혀주는 반딧불
고향소식 전해주는
반디 반디 반딧불

첫눈 오는 날

첫눈이 내린 아침에
뽀드득 눈길을 달린다
눈부신 은빛 눈발이
사르르 꽃잎처럼 날린다
온 세상이 하얀 눈길
곳곳마다 하얀 길
신나게 뛰어가 보자
새하얀 눈 나라 눈 나라

새 아침의 요들

시원한 바람 욜로레이 발걸음도 가볍게 걸어가자
산새들도 노래하며 시냇물도 흘러간다 랄랄랄
욜로레이 욜로레이 욜로레이 욜로레이
라랄랄랄라 랄랄랄라 랄랄랄라 랄랄라
욜로레이 욜로레이 욜로레이 걸어가자 밤밤밤
라랄랄랄라 랄랄랄 욜로레이 걸어가자 밤밤밤
새 아침의 오솔길 욜로레이 즐겁구나

무슨 꽃일까

방긋 방긋 웃는다 무슨 꽃일까
엄마 품에 우리 아기 웃음꽃이지

방긋 방긋 웃는다 무슨 꽃일까
아침마다 햇님의 웃음꽃이지

생긋생긋 웃는다 무슨 꽃일까
저녁마다 우리 아기 웃음꽃이지

파리

빙 빙 방안을 맴돌다가
할머니께 들켰다
파리 한 마리
철컥 파리채로 매맞고
윙윙 돌다가 천장에 앉아
손을 비빈다
발을 비빈다

멍멍 강아지

멍 멍
강아지가 멍 멍
꼬리치며 논다 멍 멍 멍
엄마보고 멍 멍
나를 보고 멍 멍
예쁜 강아지

멍 멍
바둑이도 멍 멍 멍
집을 지킨다고 멍 멍 멍
밥 달라고 멍 멍
과자 달라 멍 멍
귀여운 강아지

싱싱 지하철

싱싱 지하철
싱싱 잘도 간다
서울역에서 청량리
캄캄한 땅속을 잘도 간다

싱싱 지하철
싱싱 달려간다
우리 집에서 유치원
땅굴로 달리면 참 좋겠다

초인종 소리

따릉
한 번 울리면
아빠의 소리

따릉 따릉
두 번 울리면
엄마의 소리

따릉 따릉 따릉
세 번 울리면
언니가 온다

따릉따릉 따릉따릉
되게 시끄럽네
누구지

오빠야
오빠?
소리만 들어도 다 알아

모두 한 식구

할머니 집에는
식구도 많다

구구구
닭도 한 식구

꿀꿀꿀
돼지도 한 식구

할아버지 이라 좌라
소도 한 식구

음매… 염소는 내 친구
모두 한 식구

비 개인 날

아기가 혼자 놀다
엄마를 보고
반가워 두 손 들고 달려오다가
자박자박 고인 물을
밟고 나서는
어느새 자박자박 놀고 싶었네
아가야 왜 그러니
어서 오너라
엄마가 손짓하며 불러 보아도
자박자박 물놀이가 너무 재밌어
어느새 엄마 생각 잊어버렸네

자박자박 자박자박 너무 재밌어
고인 물에 덥석 앉아 버렸네
자박자박 자박자박 물장구 친다
뱅글뱅글 돌아가며 물장구 친다
엄마가 달려와서 나오라 해도
엄마와 같이 놀자 물장구 친다

흙탕물 속에서 물장구 친다
엄마도 아기도 흙투성이다
눈만 뻥 내놓고 흙투성이다
나는 나는 우리 엄마 제일 좋아요

가게 놀이

가게 놀이 할 사람
이리 붙어라
가게 놀이 재미있다
어서 모여라
생선가게 채소가게
모두 생긴다
누가 누가 신발가게
먼저 할 테냐
나는 나는 문방구
방구 아저씨

우리 반 선생님

우리 반 선생님은
정말 예뻐요
그림도 잘 그리고
얘기도 참 잘해요
그림책도 읽어 주는
엄마 같은 선생님
내가 좋아하는 노래도
참 잘해요
우리 반 선생님은
정말 정말 예뻐요

신나는 옛날이야기

야 신난다
옛날이야기 좀 들려주세요
짐승들이 말을 하는 옛날이야기
형님 먼저 아우 먼저 착한 이야기
남을 돕는 사람은 하늘이 돕는
옛날이야기는 재미있어요
도깨비도 이기는 슬기로운 사람
옛날이야기는 신이 납니다
할머니가 날마다 들려주세요
지혜롭고 재미있는 옛날이야기

학원가는 길

엄마 따라서
똑바로 똑바로 한길 건너서
구멍가게 골목으로 한참 가서
우체통을 돌아서면 보인다
보습학원 금방 가는데

버스를 타면
이리 갔다 저리 갔다
뱅뱅 돌아서
눈이 뱅뱅 돌며는 졸음이 온다
이리 쏠리고 저리 쏠리다

의자에서 쿵
떨어지면 하하하 하
웃음소리에
깜짝 눈뜨고 머리 한번 흔들고
친구 따라 차를 내린다

반만 눈을 뜨고
학원 책상에 앉으면
눈이 감긴다
앞뒤로 꾸벅 꾸벅 졸음이 온다
꿈속에서 공부를 한다

잠꾸러기 우리 오빠

우리 오빠는 늦잠꾸러기
오늘 아침도 늦잠 자다가
엄마에게 들켰다

'학교 늦겠다 어서 일어나'
엉덩이 한 대 맞고 잠결에 일어나
가방 먼저 둘러메고는

'엄마 학교 다녀오겠습니다' 큰절을 한다
우수수 쏟아진다 필통이 먼저 땡그랑
국어책 수학책 바른생활책 모두 쏟아진다

가방 뚜껑 잠그지 않아
줄줄이 흘러나온다
우리 오빠 부끄러워 엄마를 보자

우리 엄마 할 말 없어 깔깔 웃는다
나도 깔깔 웃는다 오빠도 깔깔
우리 식구 모두 깔깔깔……

밥 먹고 가도 늦지 않은데
우리 오빠 얼마나 놀랐을까
아직도 잠결에 후다닥 챙겨 담는다

따르르르르…… 이제 울린다
오빠가 맞춰 놓은 자명종 소리
지금 일어날 시간인데

달걀

꼬고댁 꼭
닭장에서 달걀이 굴러내렸다
금방 병아리가 나올 것 같다

두 다리가 쏙 나와
달걀 껍질을 뒤집어쓴 채
달려간다면

얼마나 우스울까
그러다 어딘가 꽝 부딪쳐
껍질은 깨지고

노란 부리가 나와
삐약 삐약 삐약
소리치면

얼마나 예쁠까
이때 파드닥 파드닥
날갯짓을 하면

얼마나 귀여울까
날아봐 마음대로 날아봐
노랑 병아리야

닭은
병아리 때부터
마음대로 혼자서 살면 좋겠다

엘리베이터

아침에 학교에 가면서
엘리베이터 문이 열리자
'안녕하세요'
큰 소리로 인사를 했다

콧수염을 기른 아저씨도
안경을 쓴 아주머니도
가방을 멘 언니들도
내 인사만 받아먹었다

엘리베이터 문이 열리자
바쁜 걸음으로 나갔다
나는 혼자서 생각했다
어른은 인사는 안하는 것인가

새로 만난 친구

너의 집 어디니

우리 집은 아파트야

우리 집도 아파트인데

그럼 엘리베이터도 있어

그래 아주 높아 14층인데

그럼 우리 집은 15층이야

그럼 우리 한 지붕 아래 사는 거야

그러니까 우리는 친구다

우리는 아파트 친구다

뻐꾹새 소리

숲을 가다가
뻐꾹새 소리에
발을 멈춘다

소리를 눈으로 찾는다
나무 위에도
숲속에도 안 보인다

뻐꾹 우는 소리에
숨을 죽이고
되돌아본다

쉬…
소리 날까봐
발도 못 뗀다

뻐꾹새 울면은
누나 생각이 난다
뻐꾹새 세 번 울면

누나가 온다고
새끼손가락 걸었는데
뻐꾹새야 한번만 더 울어라

비 오는 날

나뭇잎에 뚝
유리창에 뚝 뚝
빨래줄에 방울 방울
양철지붕 뚝 뚝 뚝 뚝
솨……
야 장대비다

드르렁 드르렁
천둥소리다
아니야 아빠 코고는 소리야

아빠 무서워요

나 심심해요

엄마, 동생 하나만
나 심심해

내 친구 할 거야
손잡고 놀러 다닐래

자꾸 울면 어떡하고
우는 동생은 싫어

꼬집으면 어떡하려고
안 울거야

아주 조그만 동생
동생 하나만

공룡

아 귀여워
무섭지 않니
아니야 안 무서워
아빠는 무서운데
하하하…
아빠는 겁쟁이다
그럼 너는 안 무서워?
아빠가 그린 그림이잖아

우리 할머니

나만 보면
내 턱을 싸잡고
내 이마에 이마를 비벼댄다
할머니 냄새

아이고 내 강아지
두 번 말하고
두 팔로 껴안고 흔들어 댄다
아이 답답해

치마를 걷고
커다란 주머니에 박하사탕 찾아서
입에 넣어주고
엉덩이 툭 툭

그래도 난 안 아파
머리가 하얀
할머니 사랑이 제일 좋아요
나도 할머니 사랑해요

바람 바람 바람

산에는 산바람
진달래 피고

들에는 들바람
개나리 핀다

강에는 강바람
찔레꽃 냄새

바람 바람 바람
우리는 신바람

바람 따라 저 멀리
날아 봤으면

어제 태어난 강아지

새로 난 강아지가
나들이를 나왔다
낑낑 끙끙
혼자서 놀러 나왔네
낑낑 끙끙
말도 잘 한다
낑낑 끙끙

나 엄마 아니야
빨리 네 엄마 곁에 가야지
배가 고플까
젖을 먹어야지
내 손가락 빨면 어떻게 해
낑낑 끙끙

말도 못 알아듣네
낑낑 끙끙
너의 엄마에게 가
낑낑 끙끙
잠이 오는가봐 큰일 났네
낑낑 끙끙

가랑비

가랑가랑 가랑비
가만가만 내려와
이파리에 앉았다
가랑가랑 소곤소곤
한 마음 되어
또그르르 굴렀다
은구슬이 되었다

쇠똥 말똥구리 구리 똥

무엇을 그렇게 굴려 가느냐
쇠똥을 굴려 가면 쇠똥구리
말똥을 굴려 가면 말똥구리
쇠똥 말똥구리 구리 똥
굴려 가는 똥 속에 알을 낳아
땅속에 묻었다가 햇볕 받아서
애벌레를 키운다 구리 구리 똥
애벌레가 자라서 풍뎅이 된다

장마와 아이들

긴 장마가 그쳤다 햇볕이 났다
넓다란 모래장에 물이 고였다
민기도 철이도 모두 나와서
모래성을 쌓는다 둑을 쌓는다
민기는 높은 성 욕심도 많아
모래 한 줌 더 올리자 쓰러졌어요
철이는 물코 터져 다 떠내려가네
그제서야 모두들 힘을 합해서
바람에 날아온 나뭇가지 주워서
가로수 심고 커다란 둑을 쌓아
방죽 만들고 용궁 짓고 수족관에
돌고래 길어 어른보다 더 좋은
용궁 지었네
장마와 아이들은 즐거운 친구

걸음마

아파트에서는
한 해가 지나도
이웃 간에 인사도 안 한다

여름방학을 하고
105호집 106호집 아기들이
정자에서 놀다가 걸음마를 배운다

아기가 한 발 떼고 두 발 떼다
넘어져도 우리 고모 훈련대장 자꾸 시킨다

두 집 아이들이 "장군 나가신다" 하면
간들간들 손 벌리고 삐쭉 삐쭉 걸음마 한다

온 식구가 손뼉 치며 걸음마, 걸음마 소리도 높다
목을 쭉 빼고 한 발 두 발 삐뚤빼뚤 걸어 나온다

걸음마, 걸음마 거센 응원도 잠시
서너 발 걷다 말고 간들간들 중심을 잃고 꼬꾸라진다

활짝 웃는 소리 아파트 창 넘어간다
이 집 저 집 창을 열고 응원을 한다

우리아기 걸음마는 웃음꽃이다
우리 사는 아파트 웃음꽃 핀다

무따래기

우리 동생은 무따래기
언니가 숙제하면은
옆에 와서 크레용으로 끌적 끌적
언니 울리고

숙제로 만든 종이 접기
다 오려 놓는다
엄마 어떻게 해 눈물 흘리면
얼라리 꼴라리 울보 나왔다

혼자서 즐겁게 노래를 한다
내 동생은 정말 무따래기다
그래도 예쁜 우리동생 무따래기

우리 아기 그림

우리 아기 그림은
긁적긁적
시원스럽게도 그린다
무엇을 그렸는지는 몰라도
크레용 가는 데로 따라간다

그림 설명은 길고 길다
아빠는 참 잘 그렸다
칭찬은 하시면서도
나에게 뭐 같니 물으신다
몰라요 하나님이 그려 주나봐요

시골에 가면

풀밭에 메뚜기 뛰고
개구리가 툼벙툼벙
가지에는 열매가 대롱대롱
텃밭에는 고추가 주렁주렁
들에는 일하는 사람들
꼬부랑꼬부랑
과수원에는
해바라기 사람들
만세 부르는 사람들

너는 어디서 사니

너의 집 어디니

우리 집은 아파트야

우리 집도 아파튼데

몇 층

높아 14층이야

우리 집은 15층이야

하하하 우리 아파트 위에 아파트구나

한 지붕 밑에 사는구나

그럼 우리 친구하자

그래 내가 먼저 네가 먼저

우리는 친구다

아기와 책

어머, 알리 칼리 알리 알리

지금 뭐하고 했지

말은 못해도 엄마와 즐거운 얘기

알리 칼리 알리 알리

엄마와 아기만 아는 말

그래 책 읽어줄까

금돌이가 아기와 집을 보고 있어요

알이 칼리 알리 칼리

하하하 재미있니

음마마마마

아 우리 아기가 말을 하네

책은 우리 아기 장난감

빨고 물어뜯고 돌려보고

책을 읽는다

맴돌이 춤

텔레비전을 보고
춤을 춘다
얼마나 신이 났는지
춤추다가 고꾸라져도
손뼉만 치면
울지도 않고
다시 일어나
뱅글뱅글 돌다
또 쓰러진다
아빠는 아기 춤을
맴돌이 춤이라 한다
우리 집은 우리 아기가
웃음꽃을 피운다

돼지저금통

오늘도
땡그랑
한 푼 더 넣고

돼지저금통
흔들어 봐요
잘각잘각

땡그렁 소리가
잘각잘각 무거워졌다

돼지코 뽀뽀 한 번하고
소리 안 날 때까지

빙그레
꿈을 그린다

코로 신문 읽는 내 동생

내 동생 사나는
글씨는 못 읽어도
어제 오늘 신문은
잘 가린다

신문을 가져오면
아빠가
어느 게 오늘 신문이니

사나는
신문을 눈으로 보지 않고
코로 본다
이거야

어, 어떻게 알았어
오늘 신문냄새가 나지 않아
우리 식구 모두
하하하
무슨 냄새
석유냄새
하하하

시장 구경

가도 가도
끝없는 재래시장
가게 가득 가득
시장 가득 가득
사람도 가득
꿈틀꿈틀 미꾸라지
보다가

엄마 손 잡고
가도 가도 가게뿐
번데기 빈대떡
오디 산딸기
이름 모를 산나물
바구니 가득
할머니 가득

가득가득 쌓였네
가게마다 쌓였네
옷가게 천가게
단추가게 실가게
아이구 다리 아파
더 못 가겠어
피자가게는 왜 없어
시장에는 없어

지겨운 학원

학교 다녀오면
냉장고의 주스 하나 먹고
피아노학원
오다가 태권도학원
미술학원

오늘은 피자 반쪽 주문해 줄 테니까
5시에 꼭 전화해
그리고 놀이터에 가도 좋아
오늘은 수학 선생님 오시지 않아

아 좋은데
학원 없으면
얼마나 좋을까
하느님
제 얘기 꼭 들어주세요
아멘

공터

아파트 옆 공터에
밭도 아닌 밭이 있다
시골서 오신 할머니가
눈만 뜨면
물동이와 조롱박 들고
밭으로 가신다

상추에 한 바가지
쑥갓에 한 바가지
아욱에 한 바가지
파에 한 바가지

어느새 이파리 두 개가
싹을 보인다
할머니만 아는
이파리 소리를
들어보신다

동물원 구경

동물원에 가면
어디서 많이 본 얼굴들이 있다
아빠 닮은 고릴라
엄마 닮은 부엉이
우리 오빠 하마
우리 언니 앵무새
아 그럼 나는 누굴 닮았을까
돼지 닮았겠지
잘 먹으니까

3 장

새로 발굴된 동시
(44편)

〈1992년〉

아기와 고양이

엄마를 기다리던 우리 아기가
울다가 지쳐서 잠이 들었다
드르렁 드르렁 코 고는 사이
고양이가 멈춰서며 갸웃거린다
아기가 입맛을 다시며 돌아누울 때
고양이가 한 걸음 물러나온다
아기는 꿈속에 동그란 달님을 본다
환하고 밝은 엄마의 얼굴
자는 얼굴에 웃음꽃이 피어올랐다
야옹 갸우뚱 고양이가 가다가 뒤돌아본다

외롭지 않은 곳

가도 가도 천릿길
걸어가도 멀지 않다
눈앞에 삼삼히
고향산천 그리매
뒤돌아보던
선조들의 마음이
손을 저어 가슴에 전하는 말
안녕히 가슴 서늘하게 조이던 마을 앞 들
안개 속에 묻혀 어렴풋이 보였다 사라진다
그렇게도 그리던 고향이런만
시간 흘러감에
어스름 달빛처럼 흐려져만 가는구나
내 부모가 묻히고
잔뼈가 굵었던 곳
마음의 뿌리가 자랐던 곳
나는 결코 잊을 수가 없다
자식들이 오고가기 좋게
지금 사는 곳에 묻는다지만
묻혀버린 내 영혼은 외로우리라

내 부모가 묻힌 곳
내 벗과 이웃이 묻힌 곳
그곳이 내 고향이며
죽어도 외롭지 않은
나의 안식처이리라

옷고름

푸른 하늘에
실오라기처럼 펄럭이는 두 짝의 옷고름
아무도 닿지 않은 잊어버린 터전에
엄마의 마음의 물결이 친다
구비 구비 몇 만 리 길
따뜻한 가슴의 물결이
끝도 없이 펄럭이다가는
다소곳이 머리 숙여 나란히 선다
무엇을 생각하였기에
하나는 또 하나를 어루만지듯
휘감고 어루만지듯
꼬인 듯 풀어져 또 함께 넘논다
옥색치마자락에 나란히 내려앉은
자줏빛 옷고름
너는 선녀의 옷고름인양
이 세상 모든 갈등을 조용히 내려앉힌다
엄마의 가슴에 맺힌 한을 풀어
훨훨 하늘에 날리고
그리고 조용히 가라앉는 두 짝의 옷고름

하나는 어깨를 넘어가고
한 짝은 옷자락에 남아
갈등을 부른다
제 아무리 날리고 몸서리쳐도
엄마의 가슴 위에 묶여
멀리 떠나지 않는다
옷고름, 너는 엄마의 가슴에 사는
엄마의 마음이리라

시골 비

또록 또록 또록
원두막 처마에서
물방울이 떨어진다
또록 또록 또록
움푹 패인 땅에는
물이 고이고
또록 또록 또록
물방울이 끊임없이
샘을 판다
우리는 새장 안에 갇힌
원두막 새다
또록 또록 또록
빗방울이 가린
커다란 새 집

〈1993년〉

우리 유치원

꽃들이 모여 사는 우리 유치원
벌들이 붕붕 나비들이 너울너울
춤추고 노래하는 꽃동네 새 동네
언제나 즐거운 우리 유치원

새들이 모여 사는 우리 유치원
참새가 짹짹 제비들 지지배배
춤추고 노래하는 꽃동네 새 동네
언제나 즐거운 우리 유치원

은구슬

옥구슬 은구슬
풀잎에 방울방울 은구슬
풀벌레야 풀잎에 오르지 마라
반짝이는 은구슬이 굴러 내릴라
또르르르르 앗차
은구슬이 풀잎 위를 구른다
자꾸만 커지더니 도롱도롱

코 자자 코 자자

코 자자 코 자자
우리 아기 코 자자
하늘나라 아기 별도
코 잔다 코 잔다
수풀 속의 풀벌레도
코 잔단다
코 자자 코 자자
예쁜 아기 코 자자

자장자장 우리 아기

자장자장 우리 아기
어와둥둥 예쁜 아기
달이 지면 해가 지고
해가 지면 달이 뜬다

자장자장 우리 아기
엄마 등에 기대어라
자장자장 자아~장
멍멍개도 잠들었다

자장자장 내 사랑아
우리 아기 잘도 잔다
자장자장 우리 아기
나의 사랑 우리 아기

또르르 물방울

또르르 또르르

집을 나서면 울다가도 그친다

문을 나가면 또르르 또르르

또르르 또르르

지금 무어라 소리쳤나 또르르

내가 집 볼게 놀다와

또르르 또르르

너의 말 듣고 선뜻 가고 싶지 않아

돌아선다 네가 더 좋아서

또르르 또르르

<2003~2006>

뽀뽀

뽀뽀는
부끄러워도 재미있어요

아빠 뽀뽀는
간지러워요

엄마 뽀뽀는
소리가 예뻐요

삼촌 뽀뽀는
따가워요

모두 찌그러져
입으로 모여 들어요

〈2003. 1. 6〉

소리 1

저 아름다운 소리가
들리시나요

지난여름 온 식구가
함께 갔던 개울가의 물소리

대밭 사이 길을 갈 때
푸른 댓잎이 흔들리는 소리

우리 함께 숲속 오솔길에서
살며시 발맞춰 가던 뻐꾹새 소리

아 아름다운 소리
사람이 만들지 않은 자연의 소리

소리 2

저 아름다운 소리가
들리시나요
바닷가에서 땀을 식혀주는 파도소리
들리시나요

달밤에 멀리서 들려오는 개 짖는 소리
들리시나요
땡그랑땡그랑 두부 종소리
들리시나요
둥둥둥 곤한 잠을 깨우는 아빠의 소리
들리시나요

혼자서 울리는 휴대폰 소리
들리시나요
남이야 듣든 말든 소리 지르는 휴대폰 소리
들리시나요
하루종일 그칠 줄 모르는 자동차 소리
들리시나요

할 말 없으면 공부해라 엄마소리
들리시나요

기도

일요일은
우리의 날

일요일은
가족의 날

우리 아빠
잠 자는 날

오늘만은
우리 가족

다 함께
쉬게 해 주세요

꼭 부탁 드려요
하느님

겨울밤

언젠가
할아버지가 들려주신

옛날이야기
생각이 나서

밤새도록 귀 기울여 봐도
유리창 떨리는 소리

이불을 쓰고 듣는
추운 밤이다

우리 모두 사이좋게

왜 싸우지
욕심이 많으니까

아이 답답해

왜 욕을 하지
남을 미워하니까

아이 답답해

왜 훼방을 하지
힘 자랑 하려고

아이 답답해

우리 서로 사랑하자
우리 모두 사이좋게

눈 오는 아침

일어나보니
창 너머 세상이
하얀 눈나라
아! 눈이다

소리치며
창문 열었더니
눈바람 들어온다
아이, 차가워

슬며시 내려다보니
발자국 발자국
누가 벌써 지나갔나
부지런하다

장갑을 끼고
눈을 뭉쳐서
눈사람 만들어
문 앞에 세워 봐야지

눈 내린 숲속의 아침

누가 벌써
지나갔을까

산허리엔 멈칫멈칫
해돋이 구경했나

숲속의 아침
눈밭에 발자국

눈 내린 숲속의 아침

두 갈래 발자국
꽃사슴 노루 고라니

세 갈래 발자국
산비둘기 꿩

네 갈래 발자국
토끼 너구리

가는 곳은 따로 따로
엇갈린 발자국

동지팥죽

엄마는 새벽부터
팥을 삶으신다
구수한 냄새

엄마, 무슨 날이야
일 년 중 밤이 제일 긴
동짓날이다

아, 그럼 도깨비들이
춤추며 사람 놀리겠네!
어떡하지

팥죽을 먹어야지
도깨비는 팥을 싫어하니까
옳지 옳지 옛 이야기

어머니 감사합니다
동지 죽 먹고 힘내야지

흔들이 의자

흔들흔들 흔들이 의자
흔들흔들 할아버지가

흔들흔들 자장가에
흔들흔들 잠이 드셨다

흔들흔들 드르렁 흑
흔들흔들 드르렁 드르렁

흔들흔들 꿈나라 가는
흔들흔들 흔들이 의자

겨울나무

나무 가지에
가을빛으로 물든
나뭇잎들이
어느새 뒤바람에
다 날아가고
엉성한 나뭇가지만
파란 하늘에 흔들리누나
가을부터 나뭇잎을 날렸나보다

뒤바람에
실려 온 하얀 눈들이
나뭇가지에 꽃을 피운다
윙윙 노래를 한다
얼음 꽃 눈꽃이
활짝 피었다
겨울에만 볼 수 있는
하얀 눈꽃
가을부터 준비를
하였나보다

말을 해야 알지

나는 알아요

먹고 싶은데도

괜히 안 먹는 투정

그래야 마음이 풀렸나요

엄마는 지금 몹시 바쁜 시간이야

나만을 도와줄 시간이 없어요

하지만 이럴 때가 아니면

나를 돌봐주지 않으시거든

하지만 엄마가 그런 것쯤 모르시나

괜히 네 꾀에 네가 넘어가는 것 아니냐

빨리 입 열고 엄마를 도우라고

그러면 평화가 온다고

불만은 말하지 않고 투정만 부리면

온 가족이 우울하고 평화는 도망쳐 버리는 거야

아빠가 아시면 가만 두겠어

줄줄이 벌 받을 거야

좋은 수가 있지

투정 끝 그리고 빙그레 웃어봐

평화가 다시 찾아오지

겨울과 군밤

아이구 추워
손이 시려 발이 시려

하지만

엄마 손 잡고 목욕가는데
군밤 냄새 군밤 냄새

먹고 싶어요

뒤돌아보다 쭈르르르…
미끄러운 겨울밤

돌아올 적에

엄마가 사 주신 따끈한 군밤
겨울아, 더 있다 가라

나비의 꿈

노랑나비가
장다리 밭에서
호랑나비를 만났다
나도 너처럼
아름다웠으면
호랑나비는
큰 날개를 펴고
거드름을 피우고
사뿐 날아올랐다
눈 깜박할 사이에
곤충망이 나타나
호랑나비를 잡아갔다
왜 그랬을까
노랑나비는
지금도 모른다

거미줄

거미줄은
물방울
빨랫줄인가봐

아침 일찍이
주렁주렁
거미줄에 물방울

곱기도 하지
반짝반짝
은구슬 금구슬

가을하늘에
반짝이는
은실 금실

만져보고 싶은
거미줄
그물

손가락

가락가락
손가락
피아노 위에 가면
음악이 울리고

가락가락
손가락
크레파스 들면
그림이 되고

가락가락
손가락
엄마 젖 만지면
가려움 주고

가락가락
손가락
진흙을 만지면
동물이 되요

봄을 캐는 할머니

비가 내린
산비탈 다랑이 밭에

부시시 눈 비비고
올라온 냉이

눈이 어두운
할머니가

엎드려
냉이를 캔다

냉이 냄새 맡으며
냉이를 캔다

하루 종일 들에 앉아
냉이를 캔다

냉이 냄새 앞세우고
봄님이 온다

이른 봄

눈 녹은
산바람에 실려온
꽃들의
속삭임이 들린다

노오란
개나리꽃 하는 말
새 봄은
내가 먼저 피울레

하이얀
매화꽃이 웃으며
봄 소식은
벌써 내가 전했지

꽃밭에서
꽃들이 와글와글
이른 봄의 꽃은
진달래꽃이야

눈

하늘에서
살금살금
내려온 눈이
토방 위에
내 운동화를
몰래 신고 있었다
양말도 안 신고

진달래

진달래 진달래
봄에 피는 진달래
산언덕 돌 틈에
뿌리 깊은 진달래

가느다란 가지에
자줏빛 진달래
옹기종기 모여서
많이많이 피었네

잎도 없는 가지에
꽃봉오리 방울방울
먼 산에 진달래
봄 맞아 눈 떴다

진달래 피는 곳에
내 마음 찾아가네
산길에 혼자 핀
아름다운 진달래

어린이 나라

어른들은 비밀이 많지만

우리는 비밀이 없어요

어른들은 자기가 할 일을 남에게 시키지만

우리들은 내 할일도 심부름도 잘하고 있어요

어른들은 술을 먹고 비틀거리지만

우리들은 그런 일을 하지 않아요

어른들은 마음이 넓다 하지만

우리처럼 넓은가 어디 대봐요

어른들은 둥근 달을 보고 슬퍼하지만

우리는 달보다 먼 별나라도 갈 수 있어요

그곳에는 우리와 같이

어린이 마음이 있으니까요

바닷속 깊은 곳에도

땅속 깊은 곳에도

우리들 어린이 마음이 있으니까요

저는 어린이예요

우리는 어른보다
키고 작고 몸도 작아요
하지만 작은 눈으로
어른처럼 다 볼 줄 알아요
저 푸른 하늘 넓은 바다
어른들은 하늘을 마음대로
날 수 없지만 우리는
새처럼 날 수 있어요
저 날아가는 새들과 함께
꿈 속에 그리는 나라를
다 가볼 수 있어요
어른들은 남을 미워하지만
우리는 모두 다 정다운 친구
누구나 반가운 친구예요
어른들은 아이들 보고
어른들의 이야기를 듣지 말라 하지만
우리는 눈빛만 봐도 알아요
우리들 마음에는 거짓이 없으니까요

봄을 기다리며

실개천
버들강아지
눈 비비며

봄은
언제 오나요

겨울이 가야
봄이 오지

아직
남아 있는 산봉우리에
하얀 눈

겨울이 아쉬워
남겨 놓은 유난히
반짝이는 눈

어서 봄이여 와라

돌 밑에 노오란 쑥
누워 계신 우리 엄마
머리맡에
놔드릴 거야

가나다라

가 가지 많은

나 나무에

다 다람쥐들이

라 라라라 노래를 하네

마 마중 나온 아기 다람쥐

바 바가지를 쓴

사 사람을 보고

아 아저씨라 불렀다

자 자 잠깐

차 차를 타세요

카 카메라로 그 모습 찍어드릴까요

타 타세요 어서 타세요

파 파란 들로 강으로

하 하늘을 우러르며 우리는 가네

롤라스케이트

쭈욱 쭈욱 쭈욱 쭈욱 싱싱
엄마따리 신나는 롤라스케이트
처음 탈 때는 엄마 손잡고
쭈루룩 뒹굴뒹굴 뒹구를 때에
산도 들도 뒹굴 나도 나도 뒹굴
뒹굴뒹굴 굴러간다 모두 구른다
이 세상 모든 것이 뒹굴뒹굴
하하하 바둑이도 뒹굴뒹굴뒹굴뒹굴

남해바다

산모퉁이
돌아서면
또 푸른 바다

까옥 까옥
구름 곁에 나르는
괭이 갈매기

산에는
솔바람
시원한 바람

바다에는
통통배
동그란 연기

하늘과 바다와
산이 어우러진
남해바다

키 대보기

잔잔한 바다가
나지막하다고

바람이 가다가
깔보고 지나간다

바다가 골이 나서
꿈틀거리다가

바닷가 선바위에
하얀 거품 몰아붙인다

부딪쳐 본다
하얀 거품을 물고

성난 파도가
갯바위를 넘는다

자운영 꽃

살랑 살랑 바람이
간지럽다고

방글방글 웃음 짓는
자운영 꽃

꽃밭의 웃음소리
들려옵니다

하하하 호호호
하하호호호

웃음을 전해주는
자운영 꽃

너도 웃고 나도 웃고
온 세상이 웃음 꽃 피네

웃는 얼굴에 꽃이 핀다
온 세상이 웃음 꽃 핀다

자장

자장자장
우리 아기
잠 오는 눈
다시 떠서
엄마 한 번
쳐다보고
자장자장
우리 아기
잘도 자네
우리 아기

자장자장
우리 아기
눈 감았다
다시 떠서
엄마 한 번
힐끗 보고
손가락 한 번
잼 잼 하고
눈도 입도
다물고
새록새록
잘도 잔다

샘

산골짝 옹달샘은
외롭지 않아

아침에는 나뭇잎이
이슬을 모아

또르르 잎잎 위에
흘러내리면

또르릉 이슬 받고
산울림 잠깨워서

또르릉 똑똑똑똑
또르릉 또르릉

깊으신 골짝이에
퍼진다 멀리멀리

또르릉 또르릉
메아리쳐 나간다
곱고 고운 물소리가
울려 퍼진다

고추잠자리

고추잠자리
가을 하늘에
작은 비행기

소리도 없이
풀잎에서
하늘로 모여들었다

수백 마리
이리 가고 저리 가고
날아다닌다

앗차…
부딪힐까봐
걱정 말아요
이 세상에서
제일 가는
교통지킴이

고추잠자리
교통사고 없이
잘도 나른다

개울가의 여름

개울에는
맹꽁이소리

점점 커진다
코 먹은 소리

풀냄새 좋지
맹꽁
흙냄새 좋지
맹꽁

해진다고
모여서
맹꽁맹꽁

장가 갈래
맹꽁
시집 갈래
맹꽁

밤새도록
맹꽁맹꽁

여름쌈밥

가랑비 부슬부슬
애타게 오누나

가랑비 초록비
가랑비 맞고

땅에서 자란다
고추 상추

가랑비 먹고 자란
길둥그란 열매

처음에는 초록빛
갈수록 빨갛네

가랑비 맞고 자란
길둥그란 잎은

처음에는 초록빛
갈수록 갈색잎

상추 잎에 밥 한 술 얹어
고추장 된장 함께 싼 밥

한 입에 몰아넣고
먹고 먹고 또 먹으면
여름이 절로 간다
여름 쌈밥

오월의 노래

하얀 하얀 아카시아꽃
대롱 대롱 피어났어요
높고 높은 나뭇가지에
오손 도손 하얀 꽃들이
푸른 하늘 덮어버렸네
송이송이 하얀 하얗게
벌 나비도 윙 윙 윙
꽃을 따러 올라갔어요

향기로운 아카시아 꽃
한들한들 바람 달래면
아카시아 하얀 꽃냄새
오월 하늘 내리는 축복
아름다워 아름다워라
순백의 꽃 아카시아 꽃
사랑스런 아카시아 꽃

〈2006. 10. 6 추석〉

달을 보면

어머니, 둥근 달이 떴습니다
어머니, 올해도 달을 보고 얘기하시나

두 손 모아 빌고 빌면
커다란 둥근 달이 되었습니다

이른 새벽길은 정화수
장독 위에 정성스레 올려놓고서

자식 위해 천 배 절하고
소망 위해 만 배 절하네

정화수에 작은 달 떠올랐어요
손발이 다 닳도록 떠올랐어요

간곡하게 빌고 빌어도
속절없는 자식들은 제 멋대로

어머니 얼굴은 달과 같이 둥글어
달도 보고 어머니 얼굴 보고

어머니 생각 빌어봅니다
아이고 허리야 하시던 날

Part 2

동시에
붙이는 말

나는 전쟁의 시달림 속에서 어린이를 좋아하게 되었다. 지금은 없어지고 말았지만 사범학교처럼 유치원 교사 양성의 보육학교에 근무하면서 교육상 필요에 의하여 노랫말을 쓰고 작곡도 하였다.

나는 전문인처럼 고집을 가지기보다는 유치원어린이와 함께 생활하면서 아이들이 짧은 말로 대화하고 많은 것을 생각하는 새로운 경지를 발견할 수 있었다. 언어로는 다 표현하지 못해도 6세면 2000단어쯤 이해한다고 한다. 말도 다 알아듣지만 특유의 유아어 어휘가 있어 아이들은 말하기 쉽게 문장으로 만들어 쓴다. 귀찮은 토씨는 다 생략하고 주어와 동사만으로 말을 시작한다.

이렇게 자라난 아이들이 연극을 하고 언어를 감각적으로 이해하는 직관적 감성의 대화 속에 모든 것을 말로 하였다. 나는 여기서 유아어를 고르고 그들이 보다 쉽게 받아들이는 반응을 보면서 노랫말과 동시를 지었다. 그 아름다운 시절을 떠올리며 1956년부터 2003년까지 창작한 동시의 창작 메모를 써봤다.

텔레비전

어린이의 꿈에 그리던 영상이 공중파를 통해 안방으로 날아들었다. TV라는 이 요물상자 속에 사진이 살아서 움직이더니 1980년엔 총천연색으로 바뀌었고 컬러텔레비전이 있는 집은 어른아이 할 것 없이 가득 모여서 웃음꽃을 피웠다. 어린이의 호기심은 더해가고 밤마다 자신이 출연하는 꿈을 꾸었으리라. 이 꿈과 욕망을 간접적으로나마 충족시키고자 했다.

비야, 비야 오지 말라

1955년 무렵, 전시동요는 간혹 방송전파를 타고 흘러나왔으나 정작 유아들을 위한 동요는 없을 때다. 그때는 교통이 여의치 않아 모처럼 가마 타고 시집가는 모습을 가끔 볼 수 있었다. 새 색시의 행복을 빌며 귀한 가마의 행차를 기다리는 작은 아씨들이 입 맞춰 부르던 것을 바탕으로 꾸민 것이다.

낮잠

바쁘게 살아온 전후세대들. 낮이고 밤이고 뒤돌아볼 시간도 없었다. 물론 어린아이들도 낮에는 엄마 얼굴 한 번 보기가 어려웠던 시절, 모처럼의 공휴일에 엄마와 아기가 한낮의 잠에 깊이 빠져들었다.

눈이 내리면

1956년, 하얀 눈을 보고 어린 유아들은 어떤 생각을 할까, 이런 생각에 몰두하고 있을 때 현실과 상상의 세계를 넘나드는 어린이들이 눈을 보고 느끼는 감성을 생각해보았다.

그네를 타자

1960년대 후반에 들어서면서 다소 안정을 찾기 시작하자 좀 더 넓은 세계, 멀리 있는 세계가 눈에 들어오기 시작했다. 잘 사는 나라, 행복한 가정 등 시민들의 소망이 높아지면서 새로운 사회개혁 운동이 벌어졌다. 이때는 아버지들이 드높아보였다. 아이들도 부지런한 아버지를 선호하기 시작했다.

기린

일제 강점기 때 창덕궁이 동물원이 되어 우리 국민은 수치와 모욕을 받았지만 한편으로 동물원은 아이들에게 가장 인기 있는 곳이었다. 그 중에서도 인기를 끄는 동물이 기린이었다. 몸은 사슴을, 꼬리는 소를 닮은 듯, 발톱은 말을, 머리는 망아지를 닮았으나 뿔이 있다. 살아있는 풀은 밟지 않고 육식을 하지 않는 동물, 역시 기린이다. 아이들은 만약 기린을 탈 수 있다면 머리의 뿔을 잡고 타면 먼 곳을 볼 수 있을 것이라고 서로 자랑을 한다. 기린은 코끼리와 함께 어린이의 꿈속의 동물로 사랑받는 동물이다.

소낙비

날씨가 더우면 갑자기 소낙비가 내린다. 어릴 때는 무척 즐거운 자연현상이다. 1957년 무렵, 어른아이 할 것 없이 고무신은 귀한 신발이었다. 뜰에서 놀던 아이가 갑자기 쏟아진 소낙비를 피해 마루에 올라 앉아 고무신이 떠내려가는 것을 보고 상상의 세계가 실현되는 현상을 발견하고 기쁨을 감추지 못한다. 장난감이 없던 시절, 유일한 수단이 흙장난이었다. 처마 밑에 쌓아놓은 모래성이 지시락 물(낙숫물)에 허물어지는 모습을 안타깝게 바라보던 아이들의 마음을 그렸다.

우체부 아저씨 1

　어른들이 야기한 전란에 무모한 어린이가 희생되어 가슴 아팠던 1956년 집집마다 이산가족들이 날마다 소식을 기다리며 큰 가방을 메고 찾아오는 우체부 아저씨를 만나 대화하고 동네아이들의 순박한 마음을 동요로 간직해주고 싶었다. 광주사범대학 영생유치원을 맡아 운영할 무렵, 전반 삼행을 노래로 만들어 불러오다가 그 후 뒷부분 7행을 보완하여 학습용 노래극 속에 주고받는 노래로 발전시킨 동요이다.

고추잠자리

　곤충들 하나하나 독립적인 생활을 하고 있는 것 같지만 자연의 섭리에 의하여 먹이사슬로 엮여져 있다. 개미와 진딧물처럼 서로 공존하고 살아가는 곤충도 있는가 하면 서로 먹이사슬이 되어 곤충도 잡아먹는다. 잠자리가 하루살이를 잡아먹는가 하면 사마귀가 잠자리를 잡아먹는다. 곤충 세계를 살피다 보면 이런 사실을 알게 되어 자연에 대한 이해가 깊어진다. 우리는 비슷한 것을 찾아서 곧잘 의인화하여 이해를 넓힌다.

토마토

　눈에 띄게 빨간 토마토는 과일이 아닌 채소이다. 갖고 다니고 싶은 귀엽고 동그란 토마토. 먹어보면 새콤하고 달콤하고 맛있는 토마토. 어수선한 세상이 토마토 맛 같다.

꼬마염소

　전쟁이 끝나고 집으로 돌아온 병사들은 많은 아이들을 생산하였으나 모유 부족으로 인해 원조 받은 분유를 먹여왔다. 1958년, 이 해는 전년부터 이어지는 춘궁기로 접어들어 더욱 곤궁하였다 도심을 조금만 벗어나면 풀밭에서 새끼 염소들이 뛰어다녔다.

아이들을 데리고 그 풀밭에 가서 귀여운 염소들을 관찰했다. 꼬마염소는 어린아이들을 손님으로 맞이하고도 계속해 울었다.

눈이 오는데

1956년 겨울, 눈이 펑펑 쏟아지는데 마당에서 눈과 노는 강아지를 대하는 안타까운 마음과 눈 속에 묻힌 모이를 찾으려고 모여든 참새 떼들을 염려하는 마음을 노래했다.

바람아 불어라

여름철, 입가에 스쳐가는 바람은 아이들에게는 처음 느껴보는 즐거운 자연현상이다. 때로는 울던 아이도 울음을 그치고 지나가는 바람에 관심을 갖는다. 1957년 여름, 무척 더웠다. 바람을 알고자 하는 아이들과 얘기하면서 바람을 보고 싶은 아이들의 염원을 그려보았다.

바다

바다를 처음 본 아이들의 느낌은 어떤 것일까. 바다를 하늘에서 보고, 이웃마을에서 보고, 바다 안에서 본 바다의 느낌을 입체적으로 그려보았다. 바다는 예나 다름없겠지만 바다를 느껴보는 아이들의 느낌을 대비해 보았다.

눈꽃나라

아기가 잠든 사이에 내린 눈은 온 세상을 흰빛으로 바꿔놓았다. 전쟁의 잔해가 아직 여기저기 굴러다녔던 1956년, 새로운 세계를 맞은 어린이들에게 눈은 어떻게 비쳤을까.

고드름

요사이는 고드름을 보기 힘들다. 세월이 달라져 시멘트 집으로 바뀌었기 때문이다. 1956년 무렵, 초가집 지붕에 매달린 고드름은 유난하게 길고 판자촌 슬레이트 처마에는 무수히 많은 고드름이 열렸다. 고드름을 자기 몸으로 느끼면서 고드름이 크고 작게 자라는 모습을 의인화해 본 것이다.

겨울밤

언니와 어린 동생만 남아 가랑잎이 떨어지는 밤. 아이들은 대처로 돈 벌러 간 엄마를 생각한다. 1960년대, 아이들만 남은 시골의 풍경을 그렸다.

망아지

어린이는 말을 보면 타보고 싶어 한다. 귀여운 아기 말, 망아지와 엄마 말이 벌판을 자유롭게 뛰어다니는 모습을 그려 보고 싶었다. 짐승도, 사람도 자유롭기를 바란다.

비눗방울

어린이가 가장 좋아하는 자연물이 있다면 비눗방울이다. 비눗물을 빨대에 적셔서 살그머니 불면 오색 무지갯빛 방울이 하늘로 날아간다. 바로 비눗방울 속에 어린이의 마음이 깃들어 있다. 그리고 비눗방울이 날아가는 대로 마음도 함께 난다.

솜사탕

아이들은 불량식품이라도 입맛에 맞으면 줄을 서서 사먹는다. 아무리 말려도 길가의 과일 주스는 한 잔 마셔야 집으로 달리는 힘이 난 듯하다. 설탕을 끓여서 바람에 날리면 통 안에 실처럼 날리다 막대로 걷어내면 솜이 되는 솜사탕. 아이도 어른도 다 좋아하는 군것질을 미화시켜 보았다.

무슨 꽃일까

1957년 무렵, 우리들의 생활은 대단히 어두웠다. 밝게 보이는 것은 꽃과 아기였다. 자연에서 피는 꽃의 향내를 맡으며 아름다움에 감동하고 집안에서는 아기가 웃음꽃의 주인공이었다. 꽃과 아이는 생명의 아름다움이었다.

파리

위생이나 깨끗함을 알면서도 생각지 못한 시절이 있었다. 1957년 무렵, 귀찮게 달려드는 파리 떼를 웬 할머니가 파리채를 들고 하루 종일 휘두르고 있었다. 그런데 파리가 애교처럼 손을 비비는 모습을 보고 미소를 지었다.

멍멍 강아지

장난감이 없었던 1957년 무렵, 유일한 장난감 친구가 고양이나 강아지였다. 귀염을 받는 강아지는 누구를 보든지 짖는데, 이 역시 귀염을 받고 싶은 것이다. 그러기에 밥만 먹으면 양지쪽에서 아이들은 강아지와 노는 것이 하루 일과였다.

싱싱 지하철

서울에 지하철이 생겼다. 어린이는 땅 속을 뚫으면 길을 돌아가지 않고 쉽게 목적지에 갈 수 있다는 꿈을 꾼다. 1호선은 청량리까지 단박에 질주한다. 어린이들은 집에서 유치원까지도 지하철이 다니길 소망할 수 있을 것이라는 생각에 노래로 만들어보았다.

모두 한 식구

도시가 커지자 농촌에서 이사를 오고 서울로, 서울로 밀려들기 시작했다. 그러나 도심에 모여 사는 사람들은 언제부턴가 이웃도 모르고 인사도 안 한다. 아이들 눈에는 너무도 이상하다. 심심하고 외로울 때 갈 곳이 없다. 우리는 모두 한 하늘 아래서는 한 식구인데. 아이들의 마음을 대변해보았다.

비 개인 날

1960년대, 마을엔 아직 놀이터가 부족하여 골목길이 그대로 놀이터였다. 포장도 안 되어 비가 오는 날이면 물웅덩이가 생겼고 차를 피해 처마 밑에서 물이 튀겨오는 것을 막으려고 우산으로 몸을 가리고 차가 지나가길 기다렸다. 이 무렵, 골목길의 물웅덩이는 아이들에게 색다른 놀이터였다. 물장구 놀이가 이렇게 재미있다니.

가게 놀이

1960년대는 잘사는 나라 건설에 열을 올렸다. 이런 정서가 어린이들의 놀이 속에 반영되었다. 가게 놀이는 어린이들에게 경제성과 생산과 소비의 관심을 높여주었다. 가게 놀이를 하고 나면 모두가 가게 주인이 되어버린다. 이내 사는 사람은 거의 없다.

우리 반 선생님

아이들이 제일 가보고 싶은 곳이 또래 집단이다. 아이들은 성장하면서 또래 집단에 들어가 자신을 시험해 보고 자신의 힘을 짐작한다. 하지만 결국 내 편은 선생님뿐이다. 무엇이든지 다 잘 하는 예쁜 선생님은 하늘과 같은 존재이다. 한번이라도 선생님의 관심을 끌고 싶은 아이들의 마음을 그려봤다.

신나는 옛날이야기

서울로, 서울로 젊은 부부는 서울로. 할머니와 할아버지는 살던 곳이 좋아 고향에 남았다. 1960년대 후반부터 도시는 핵가족화 되어갔다. 아이들이 말을 배우기 시작하면 이야기를 좋아한다. 옛날이야기는 우리 조상들의 삶의 지혜를 들려주고 아직 경험하지 못한 모험을 간접 경험시켜 준다. 즐거운 옛날이야다.

학원가는 길

1970년대 들어서는 경제 성장이 되어 외국의 문물이 많이 들어오게 되었다. 모든 사람들은 꿈에 부풀어 있었다. 더불어서 제2세를 위한 교육열이 높아져 눈높이 학원을 찾게 되었다. 처음에는 밖에 나가서 맞고 다니지 말라고 태권도 학원, 그리고 점차 피아노학원, 미술학원, 보습학원을 찾게 되었으나 아이들 입장에서는 학원가는 것이 무척 괴롭고 싫었다.

잠꾸러기 우리 오빠

학원 두서너 곳 다녀와 저녁을 먹으면 피로에 지쳐 일찍 잠이 든다. 늦잠은 당연한 일이지만 학교에 늦지 말아야지, 엄마의 욕심은 한이 없지만 아이들의 피로는 감당할 수 없다. 먹고 자고 먹고 자고 살만 찔 뿐이다. 우리 오빠 덜렁이.

달걀

1970년대 아이들은 달걀도 잘 안 먹었다. 너무나 자세히 달걀 이야기를 듣고 나면 먹던 아이도 달걀도 못 먹게 된다. 아이들이 학원을 다니기 시작할 때 달걀로 달래기는 힘들었다.

엘리베이터

1980년대 이르면 이웃도 모르는 아파트가 여기저기 건설되었다. 모두가 한 지붕 밑에 살지만 어른들도 언제부턴가 자신의 신분을 잘 드러내지 않는다. 학교에선 인사를 잘 하라고 배운다. 아이들은 배운 대로 실천에 옮기려고 '안녕하세요' 인사한다. 그러나 반응이 없다. 이래서야 어른들이 부끄러운 일이 아닐까.

새로 만난 친구

아이들은 어른과 다르다. 서로 만나면 손을 잡고 함께 논다. 어른들은 신분을 노출하지 않고 자존심을 지킨다. 그러나 그것으로 해결될 일이 아니다. 서로 서로 이웃을 대접하는 문화를 만들어야 한다. 내가 먼저 인사해서 이웃을 기쁘게 맞이했으면.

뻐꾹새 소리

뻐꾹새 울음소리는 시나 노래에 등장하는 시적인 정서의 새소리이다. 1980년대 어수선한 정국에서 한국 전쟁 당시 헤어진 이산가족찾기 특별방송이 나오자 동요 〈오빠 생각〉에 나오는 뜸뿍새와 뻐꾹새 소리는 온 국민의 애환을 달려 주었다. 뻐꾹뻐꾹 하는 노래가 이산가족의 마음을 담고 있는 것 같았다. 뻐꾹새 소리를 듣고 눈으로 찾는 경험이 있어 동시로 담아 보았다.

비 오는 날

1980년대 중반, 한국 경제가 어느 정도 회복되어 가정에도 평온한 온기가 드리워져 있었다. 아빠는 밤낮없이 산업현장에서, 엄마는 가정에서 바쁜 나날을 보냈다. 어느 날 공휴일, 아이는 마당에 나와 비 구경을 한다. 갑자기 비가 내렸다. 아이의 눈에는 엄마가 뛰어나와 어깨를 움츠리고 몸을 최소한 작게 하여 빨래를 걷는 모습이 정말 우습다.

나 심심해요

하나만 낳기 운동을 벌인 지도 어언 30년이 지났다. 인구 팽창으로 국가경영에 영향을 미친다는 하여 벌어진 운동이다. 딸이건 아들이건 하나만 낳는 집이 많아졌다. 그러나 형제가 없는 아이는 동생이 없어 무척 심심했다. 누가 있으나 없으나 아이는 엄마의 치맛자락을 잡고 동생을 원한다. "그러지 말고 아직 젊으신 데 하나 더 나아요." 이웃의 훈수는 고맙지만 "우리는 더 날 수가 없답니다." 이렇게 정직한 대화를 할 수 없었던 시절이다.

공룡

〈쥬라기 공원〉 영화가 공개된 이후 어린이들에게 특별한 인기를 독차지한 공룡. 그러나 아빠와 아이 사이에는 차이가 있다. 아빠는 영화를 봤기 때문에 공룡의 실태를 말한다. 그러나 아이들은 어른 머리 위에 앉아 있다. 가정 분위기가 이만큼 개방되어 있으면 만점이 아닐까.

우리 할머니

도시로 진출한 할머니, 할아버지는 다시 고향으로 돌아갔다. 이런 현상은 도시는 인간적인 이웃이 없고 심심하고 갈 곳이 없고 날마다 놀고먹는 것이 싫어서 도시를 떠난 것이다. 손자는 명절 때 내려오면 볼 수 있다. 오랜만에 본 손자를 참으로 사랑하는 모습이다. 손자도 할머니가 좋다

바람 바람 바람

바람은 기압의 고저에 의해서 일어나는 공기의 유동이라 하지만 1990년대 들어서는 곳곳마다 그 지방 특색을 살린 민속적 바람이 성숙하게 되었다. 이것은 바로 어린이

들에게 우리 민족의 흥과 멋을 일깨워 주는 계기가 되었다.

어제 태어난 강아지

생활에 여유가 생기자 개를 기르기 시작했다. 동물은 어린이에게 사랑을 느끼게 하는 첫 시련이다. 자기보다 힘이 약해 보이는 강아지. 아직 눈도 못 뜬 새로 난 강아지. 아이가 느끼는 순박한 마음 그대로 강아지와 대화를 해봤다.

가랑비

하찮은 가랑비. 빗물도 아니고 빗방울도 아닌 물안개처럼 날아다니는 유랑의 모체. 오는 듯 마는 듯 내리지만 나무 잎에 앉으면 옥구슬이, 머리 위에 앉으면 눈물처럼. 토란 잎에 앉으면 세상에서 제일 귀하고 귀한 옥구슬이 되었다.

쇠똥 말똥구리 구리 똥

쇠똥은 둥글게 만들어져 굴러 온다. 쇠똥구리는 종족보존본능이 있어 배우지 않아도 때가 되면 짝짓기를 하고 제 몸의 열 배가 넘는 쇠똥, 말똥을 굴려 알이 깨어나기 좋은 온도를 유지한다. 쇠똥이나 말똥에 알을 낳아 유충이 쇠똥과 말똥을 먹고 자라게 한다.

장마와 아이들

정말 이런 놀이를 할까 걱정스러울지 모른다. 아이들에게는 부모가 주는 금기가 많다. 얼마짜리 옷인데 더럽히지 마. 그 신발, 어른 신발보다 비싼 거야. 손 안 씻으면 점심 안 준다. 학원에 잘 가야 피자 사주지. 하지만 아이들은 흙탕물이라도 덥석 주저앉아 마음대로 놀고 싶다. 한번쯤 시냇가에 옷 입은 채로 놀아보면 어떨까.

걸음마

글로벌 시대인 21세기를 맞는 어린이들은 경험도 없이 지적인 세계만 늘려놓고 정작 알아야 할 것은 잊어버린다. 세상이 다 내 것이고 내가 먼저고 나만 이렇게. 이런 이기주의의 팽창으로 많은 사람 중에 한 사람이라는 것을 어린이들은 잊고 산다. 걸음마부터 다시 배워야 하지 않을까 걱정이 태산 같다.

무따래기

무따래기는 함부로 훼방을 놓는 아이를 말한다. 놀부가 연상된다. 이상하게 어느 집단에도 이런 아이들이 있다. 누구의 잘못도 아니다. 환경의 영향, 욕망의 반증을 보여주는 것 같다. 심술쟁이와는 의미가 다르다. 심술쟁이는 남을 헐뜯고 놀리고 고집을 부리지만 무따래기는 자기보다 더 잘하는 사람이 있으면 그것을 시샘해 방해를 하거나 훼방을 한다.

우리 아기 그림

집에서 아기와 아빠의 대화가 재미있다. 아기는 언니를 따라 크레용을 들고 손이 가는 대로 끼적끼적 그림을 그린다. 아빠는 무조건 잘 그렸다고 칭찬만 한다. 언니는 그런 모습이 우습다. 아이들의 성장은 눈부시다. 아주 어릴 때부터 교육이 시작되어 3, 4세만 되어도 크레용을 잡고 언니들의 대열에 뛰어 들어서 그림을 그린다. 직장에서 돌아온 아빠는 아이와 놀아 주고 싶어 대화도 많아졌다. 집집마다 웃음꽃이 피는 행복지수가 높아졌다.

시골에 가면

도시와 농촌의 격차가 날로 벌어지던 1990년대. 도시에 사는 어린이들이 자연으로 그리워하는 욕구가 충만하였다. 봄 여름 가을 겨울 없이 언제나 시골을 그리워하는 아이들을 대변해 보았다.

너는 어디서 사니

도시를 메운 아파트 어린이들은 마치 시멘트 벽속에 갇혀 있는 것이나 같다. 빌딩에서 빌딩으로, 어린이 놀이터 하나 변변치 않은 곳. 녹지가 없어 나무 그늘에서 쉴 곳도 없던 1990년대 아이들은 제대로 떠오르는 해를 보고 싶어 했다.

아기와 책

아기는 언어 이전에 자연의 소리를 발음하면서 언니가 책을 보는 것을 흉내 낸다. 책이란 바로 이런 것이구나. 글을 몰라도 그림만 봐도 읽을 수 있다는 것이다. 책은 어릴 때 장난감처럼 주어져 습관적으로 보아야 한다. 읽는 것이 책이라는 인식이 되었으면 좋겠다.

맴돌이 춤

빙빙 돌면 어지럽듯, 세상도 어지럽다. 그러나 어린이의 교육은 숭숭 자라났다. 자신의 과오를 자식들에게는 남겨 주지 않겠다는 생각이 살아난 것이다. 그 어려웠던 때를 슬기롭게 온 가족이 손잡고 극복하여 빨리 안정을 되찾았다. 가정은 사회의 기초이기에 역경 속에서도 살아남았다.

돼지저금통

수많은 돼지저금통이 나라를 구한 성금으로 나온 적이 있었다. 생각하면 눈물겨운 현상이다. 고사리 같은 손으로 한푼 두푼 모은 돼지저금통.

코로 신문 읽는 내 동생

현대는 정보화시대답게 TV, 라디오, 그리고 또 다른 것이 있다 아이들은 글을 읽을 지 몰라도 자기가 알고자 하는 것은 어떤 수단으로든지 찾아낸다. 눈이 안 보이면 육 감으로 길을 찾고 말을 못하면 말하는 사람의 입과 눈을 보고 말을 알아듣듯 인간은 필요에 따라서 감각기관이 상상 이상으로 발달한다. 아빠에게 신문을 갖다 주는 심부 름을 하는 어린이의 지혜를 다함께 나눠보고자 했다.

시장 구경

서울에도 재래시장이 몇 군데 남지 않다. 우리의 모든 문화가 외국에 개방되었기 때문이다. 그 중에서도 남대문 시장은 재래식으로 흥정하는 시장이다. 외국인에게도 인기가 대단하다. 우리는 이러한 문화유산을 보존해야 한다. 흥정은 붙이고 싸움은 말리라고 했다 우리의 흥정문화는 자기에게 필요한 물건을 흥정을 통해 최저가로 알 맞게 살 수 있는 방법이다. 여기에는 정도 흐르고 동정도 살아 숨쉰다. 아름다운 재래 시장은 어린이가 한 번쯤 엄마를 따라서 구경할 만하다.

지겨운 학원

다는 아니겠지만 엄마의 욕심에 충족하게 학원에 다니는 아이는 별로 없을 것이다. 아무리 피로를 타지 않는 아이라고 하지만 하루에 서너 개 학원을 다니면 맨 나중에는 머리에 들어온 것이 없을 뿐더러 날마다 계속되면 지겨워 다니기 싫은 것은 정상이겠 지요.

공터

아파트와 같이 좁은 공간에서도 시간만 나면 경작은 시작된다. 특히 시골에서 올라온 할머니는 새벽에 나와 밭을 가꾼다. 물론 아파트 측에서는 못하게 하지만 이 할머니는 청소도 돕는다. 할머니는 여름 상추를 잘 가꿔서 이웃과 나눠 먹는다. 자연에서 채소를 얻어 이웃과 나누는 기쁨. 이것은 아무나 맛볼 수 없는 만족감이다. 이러한 것이 우리 한국인의 토속적 전통을 이어 받는 즐거움이다.

동물원 구경

환경으로서의 가정의 의미는 먼저 그 구성원인 가족의 조건이 존재한다. 부모의 존재는 어린이에게 있어서 커다란 의미를 갖는다. 그것은 먼저 안정감을 주기 때문이다. 그러나 그동안 부모의 극성스러운 욕망 때문에 아이들이 많은 억압을 받고 산다. 아무리 환경이 좋다 하더라도 필요 이상의 강요는 어린이의 정서적 불안과 반항심을 유발하여 언제나 불편 불만에 차 있다. 그런 어린이가 동물원에 간 인상을 그려 보았다.

(2003년 정리)

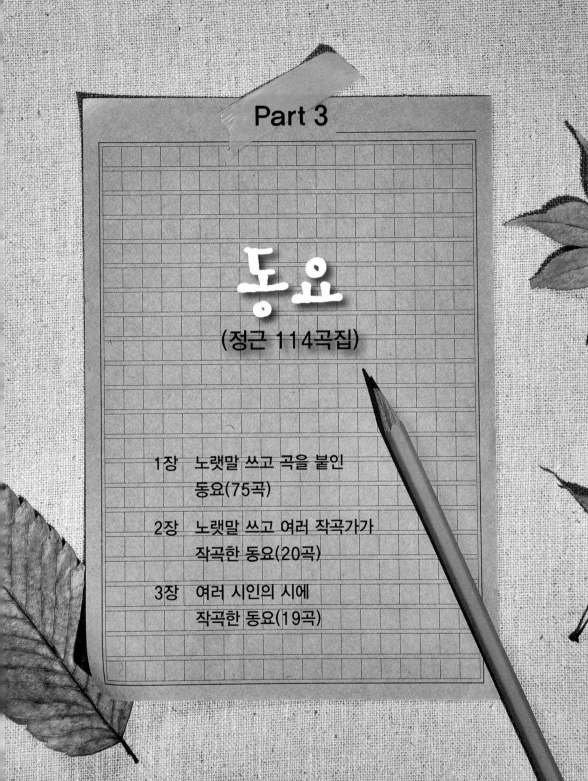

Part 3

동요

(정근 114곡집)

1장   노랫말 쓰고 곡을 붙인
동요(75곡)

2장   노랫말 쓰고 여러 작곡가가
작곡한 동요(20곡)

3장   여러 시인의 시에
작곡한 동요(19곡)

1 장

노랫말 쓰고 곡을 붙인 동요
(75곡)

텔레비전

정근 작사·작곡

텔레비전에 내가 나왔으면 정말 좋겠네 - 정말 좋겠네 -
텔레비전에 엄마 나왔으면 정말 좋겠네 - 정말 좋겠네

춤 추 고 노 래 하 는 예 쁜 내 얼 굴
애 기 가 엄 마 하 고 부 를 테 니 까

텔레비전에 내가 나왔으면 정말 좋겠네 - 정말 좋겠네
텔레비전에 엄마 나왔으면 정말 좋겠네 - 정말 좋겠네

안마를 합시다

정근 작사·작곡

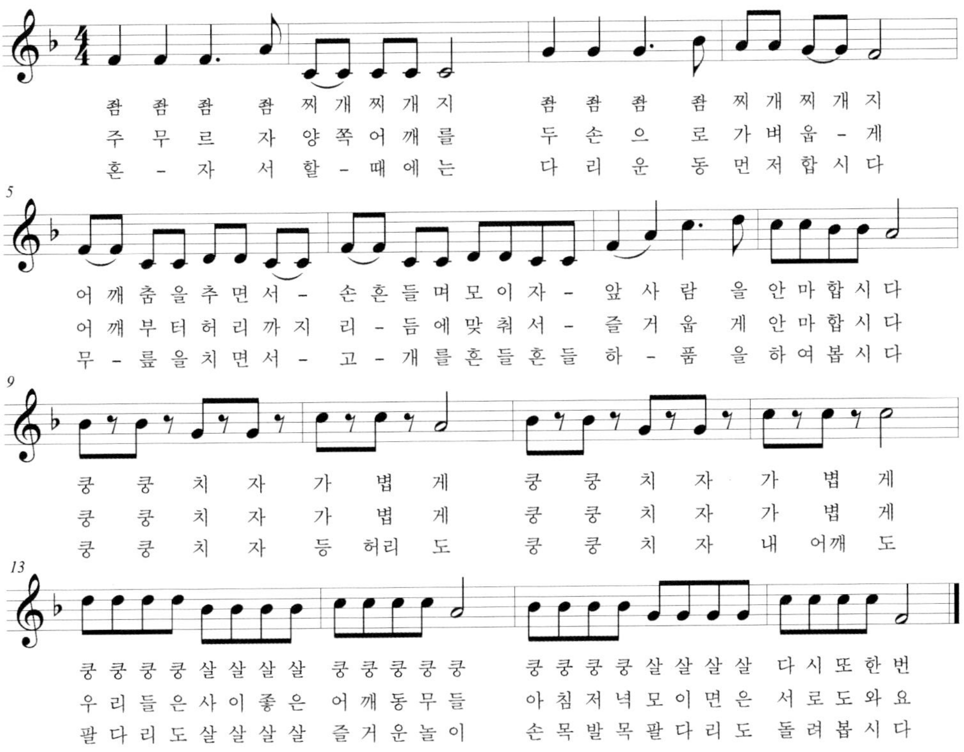
좜 좜 좜 좜 찌 개 찌 개 지 좜 좜 좜 좜 찌 개 찌 개 지
주 무 르 자 양 쪽 어 깨 를 두 손 으 로 가 벼 웁 - 게
혼 - 자 서 할 - 때 에 는 다 리 운 동 먼 저 합 시 다
5
어 깨 춤 을 추 면 서 - 손 흔 들 며 모 이 자 - 앞 사 람 을 안 마 합 시 다
어 깨 부 터 허 리 까 지 리 - 듬 에 맞 춰 서 - 즐 거 웁 게 안 마 합 시 다
무 - 릎 을 치 면 서 - 고 - 개 를 흔 들 흔 들 하 - 품 을 하 여 봅 시 다
9
쿵 쿵 치 자 가 볍 게 쿵 쿵 치 자 가 볍 게
쿵 쿵 치 자 가 볍 게 쿵 쿵 치 자 가 볍 게
쿵 쿵 치 자 등 허리 도 쿵 쿵 치 자 내 어깨 도
13
쿵 쿵 쿵 쿵 살 살 살 살 쿵 쿵 쿵 쿵 쿵 쿵 쿵 쿵 쿵 살 살 살 살 다 시 또 한 번
우 리 들 은 사 이 좋 은 어 깨 동 무 들 아 침 저 녁 모 이 면 은 서 로 도 와 요
팔 다 리 도 살 살 살 살 즐 거 운 놀 이 손 목 발 목 팔 다 리 도 돌 려 봅 시 다

김치 깍두기

정근 작사·작곡

새하얀배추를송송송 하 얀무---도 쫑쫑쫑
새하얀소금도뿌리고 빨 간고춧가루도 뿌려서

곱게곱게다듬어 김장을하자 김치 - 깍두기맛 - 있어요
맛이있게버무려 김장을담자 김치 - 깍두기맛 - 있어요

그게 뭘까

정근 작사·작곡

과 일 가 게 과 일 들 이　싸 움 이 났 네　커 다 란 수 박 이　과 일 이 냐 고
만 － 약 － 수 － 박 이　나 뭇 가 지 에　주 렁 － 주 렁 은　열 린 다 면 은

옳 지 옳 지 그 렇 지　그 게 뭘 － 까　과 일 은 나 무 에 －　매 달 리 잖 아
정 말 정 말 그 것 은　큰 － 일 이 야　사 람 이 나 무 밑 에　지 나 가 다 가

그 럼 그 럼 수 박 은　넝 쿨 열 매 야　그 래 그 래 수 박 은　넝 쿨 열 매 야
그 래 그 래 수 박 이　떨 어 지 면 은　아 야 아 야 머 리 를　다 칠 거 예 요

숨바꼭질

정근 작사·작곡

나 는 나 는 술 래 다 - 꼭 -꼭 -숨 어 라

그 래 그 래 알 았 다 - 우 리 는 꼭 꼭 숨 었 다

술 -래 가 눈 떴 다 머 리 카 락 보 일 라

손을 잡고

정근 작사·작곡

우 리 모 - 두 손 을 잡 - 고 춤 추 자 춤 추 자 하 나 둘 셋
손 을 잡 - 고 흔 들 면 - 서 깡 충 - 깡 충 - 하 나 둘 셋
빙 빙 돌 아 서 한 줄 되 어 서 앞 으 로 앞 으 로 하 나 둘 셋

손 을 잡 고 뛰 - 놀 면 서 즐 겁 게 즐 겁 게 하 나 둘 셋
마 주 보 고 라 라 라 라 라 손 뼉 을 손 뼉 을 하 나 둘 셋
손 을 잡 고 뒤 로 나 가 서 인 사 를 인 사 를 하 나 둘 셋

발을 굴리자

정근 작사·작곡

쿵 쿵 쿵 발을 굴리자 북 소 리 에 맞 추 어 서 쿵 쿵 쿵
짝 짝 짝 손 뼉 을 치 자 찰 찰 이 에 맞 추 어 서 짝 짝 짝

찰 랑 찰 랑 찰 찰 이 로 즐 겁 게 친 구 들 이 함 께 모 여 쿵 쿵 쿵
칭 칭 칭 칭 칭 칭 이 로 즐 겁 게 우 리 식 구 모 두 모 여 짝 짝 짝

비야 비야 오지 마라

정근 작사·작곡

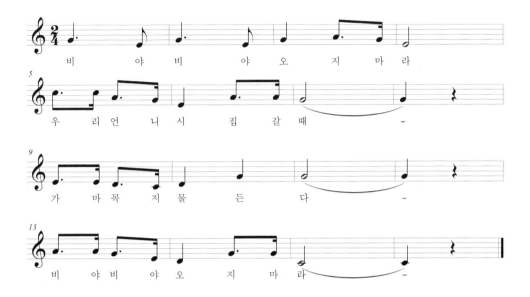

비 야 비 야 오 지 마 라

우 리 언 니 시 집 갈 때

가 마 꼭 지 물 든 다

비 야 비 야 오 지 마 라

집 지어라

정근 작사·작곡

꿍아 꿍아 집 지어라 새야 새야 물길어
방아 방아 물방아야 빙빙 돌아 찧어라

이 층 삼 층 집 지어라 높이 높이 지어라
은 싸래기 금 싸래기 번쩍 번쩍 빛난다

내가 그린 그림

정근 작사·작곡

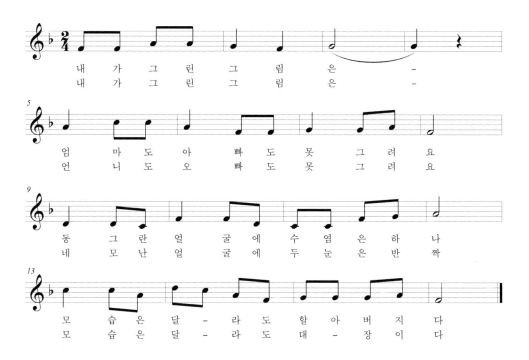

내 가 그 린 그 림 은 -
내 가 그 린 그 림 은 -

엄 마 도 아 빠 도 못 그 려 요
언 니 도 오 빠 도 못 그 려 요

동 그 란 얼 굴 에 수 염 은 하 나
네 모 난 얼 굴 에 두 눈 은 반 짝

모 습 은 달 - 라 도 할 아 버 지 다
모 습 은 달 - 라 도 대 - 장 이 다

깨끗이 깨끗이

정근 작사·작곡

깨끗이깨끗이　　　깨끗이치우자
깨끗이깨끗이　　　깨끗이치우자

놀던자리는　　　내손으로　　　깨끗이치우자
밖에나갔다　　　돌아오면　　　손발도깨끗이

놀고나면　　　손발도　　　깨끗이깨끗이
우리식구　　　다함께　　　깨끗이깨끗이

낮잠

정근 작사·작곡

엄 마 하 고 자 - 장 아 기 하 고 자 - 장
인 형 하 고 자 - 장 배 개 하 고 자 - 장

자 장 자 장 고 양 이 도 잠 드 는 낮
자 장 자 장 바 둑 이 도 잠 드 는 낮

우 리 모 두 자 - - 장 -
우 리 모 두 자 - - 장 -

사이좋게 나눠먹자

정근 작사·작곡

캬 라 멜 한 알 이 때굴 때굴 때굴 -

캬 라 멜 두 알 이 때굴 때굴 때굴 -

한 알 은 애 기 주 고 한 알 은 내 가 먹 고

서 로 서 로 사 이 좋 게 나 눠 먹 자

줄넘기

정근 작사·작곡

줄 줄 줄 - 넘 - 기 깡 충 깡 충 뛰 어 라
줄 줄 줄 - 넘 - 기 사 뿐 사 뿐 뛰 어 라

하 나 둘 셋 넷 백 까 지 뛰 어 라
힘 차 게 사 뿐 더 높 이 뛰 어 라

찬 바 람 이 불 - 어 와 - 도 우 리 들 은 즐 - 겁 - 다
달 - 나 라 까 - 지 뛰 어 라 사 이 좋 게 뛰 - 어 - 라

줄 줄 줄 - 넘 - 기 즐 겁 게 뛰 자
줄 줄 줄 - 넘 - 기 즐 겁 게 놀 자

안녕 안녕

정근 작사·작곡

두 손을 곱게 모아 안녕 안녕 한 손을 높이 들어 안녕 안녕
모 자를 벗으면서 안녕 안녕 방긋이 웃으면서 안녕 안녕

선생 님 선생 님 안녕 - 안녕 아버 지어 - 머니 안 - 녕
언제 나 만나면 안녕 - 안녕 모두 다 손 - 잡고 안 - 녕

나는 싫어요

정근 작사·작곡

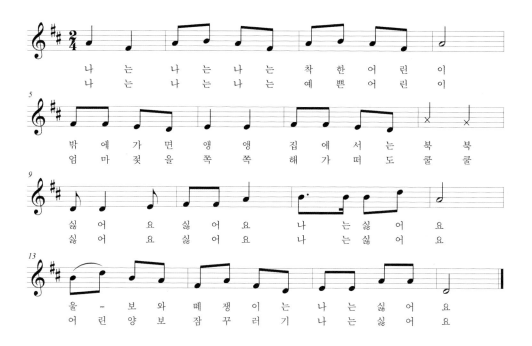

나 는 나 는 나 는 착 한 어 린 이
나 는 나 는 나 는 예 쁜 어 린 이

밖 에 가 면 앵 앵 집 에 서 는 북 북
엄 마 젖 을 쪽 쪽 해 가 떠 도 쿨 쿨

싫 어 요 싫 어 요 나 는 싫 어 요
싫 어 요 싫 어 요 나 는 싫 어 요

울 - 보 와 떼 쟁 이 는 나 는 싫 어 요
어 린 양 보 잠 꾸 러 기 나 는 싫 어 요

눈이 내리면

정근 작사·작곡

눈이 내린다 펄펄 하얀설탕 되어라
눈이 내린다 펄펄 하얀솜이 되어라
눈이 내린다 펄펄 하얀소금 되어라
눈이 내린다 펄펄 밀가루가 되어라

마음 - 대 - 로 사탕을 먹 - 고 - 싶어 요
꼬까 - 이 - 불 만들어 덮 - 고 - 싶어 요
바닷 - 물 - 을 만들어 헤엄치고싶어 요
맛있 는 빵 - 을 만들어 나눠먹고싶어 요

가게 놀이 할 사람

정근 작사·작곡

가게 놀이 할 사람 이리 붙어라 여기는 새로 생긴 시 - 장이다

생선 가게 채소 가게 신발 가 - 게 나는 나는 문방구 방구 아저씨

세수

정근 작곡·작사

아침에 일어나면 세수먼저해야지

손 발도 깨끗－이 머리도깨끗 이

예쁜얼굴 방글방－글 참새도짹짹짹

깨끗한 얼굴－은 참 예쁜얼굴

싹싹 닦아라

정근 작사·작곡

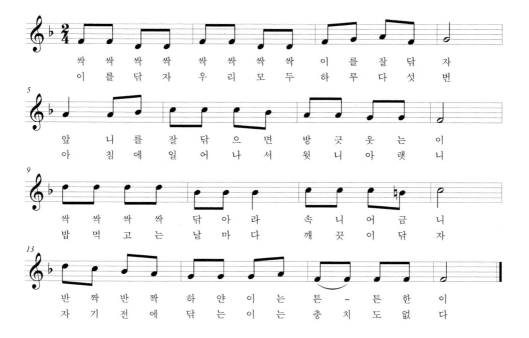

싹 싹 싹 싹 싹 싹 싹 싹 이를 잘 닦 자
이 를 닦 자 우 리 모 두 하 루 다 섯 번

앞 니 를 잘 닦 으 면 방 긋 웃 는 이
아 침 에 일 어 나 서 윗 니 아 랫 니

싹 싹 싹 싹 닦 아 라 속 니 어 금 니
밥 먹 고 는 날 마 다 깨 끗 이 닦 자

반 짝 반 짝 하 얀 이 는 튼 - 튼 한 이
자 기 전 에 닦 는 이 는 충 치 도 없 다

그네를 타자

정근 작사·작곡

훨 훨 날아 보자 그네를 타 자
훨 훨 날아 보자 그네를 타 자

아 – 빠가 밀어 주 면 제 비 같이 날은 다
엄 – 마가 밀어 주 면 나 비 같이 날은 다

무 지 개 가 보 – 인 다 푸 른 하 늘 저 멀 리
저 어 멀 리 보 – 인 다 예 쁜 꽃 만 보 인 다

기린

정근 작사·작곡

기 – 린 아 기 – 린 아   너 는 목 이 길 어 좋 겠 다
기 – 린 아 기 – 린 아   너 는 키 가 커 서 좋 겠 다

산 – 넘 어 바 다 도   잘 도 잘 도 보 이 겠 지
바 다 넘 어 저 쪽 에   뭐 가 뭐 가 잘 보 이 니

나 도 한 번 보 여 주 면   예 쁜 리 본 달 아 주 지
나 도 한 번 보 여 주 면   좋 은 친 구 하 자 구 나

시이소오

정근 작사·작곡

시 이 소 오 시 이 소 오 시 소 놀 이 재 미 있 다 어 서 타 보 자

네 가 먼 저 올 라 가 면 내 가 내 려 가 - 고 올 라 갔 다 내 려 갔 다 정 말 재 미 있 구 나

올 라 가 면 푸 른 하 늘 내 려 오 면 우 리 땅 재 미 있 는 시 이 소 놀 이 -

가위바위보

정근 작사·작곡

앞 으 로 한 발 뛰 어 나 갔 다 앞 으 로 두 발 뛰 어 나 갔 다

가 위 바 위 보 가 위 바 위 보 내 가 이 겼 다 어 서 잡 아 라

무엇일까요

정근 작사·작곡

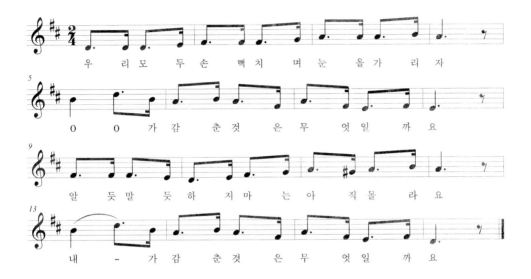

우 리 모 두 손 뻗 치 며 눈 을 가 리 자

0 0 가 감 춘 것 은 무 엇 일 까 요

알 듯 말 듯 하 지 마 는 아 직 몰 라 요

내 — 가 감 춘 것 은 무 엇 일 까 요

연아 연아 올라라

정근 작사·작곡

연 아 연 아 올 라 라 바 람 타 고 올 라 라

구 름 까 지 올 라 라 하 늘 까 지 동 동 동

소나기

정근 작사·작곡

소 나 기 가 요　줄 - 같 이 내 린 다　좍　좍　우 리 마 당 에
소 나 기 가 요　갑 - 자 기 그 쳤 다　뚝　뚝　물 방 울 소 리

내 가 벗 어 논　고 무 신 을 신 고 요　둥 실 둥 실 · 떠 내 려 간 다
내 가 쌓 아 논　모 래 성 에 구 멍 이　벙 긋 벙 긋 더 커 져 가 요

우체부 아저씨 1

정근 작사 · 작곡

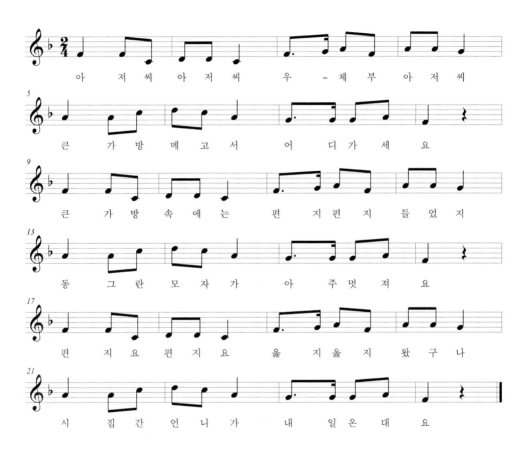

우체부 아저씨 2

정근 작사·작곡

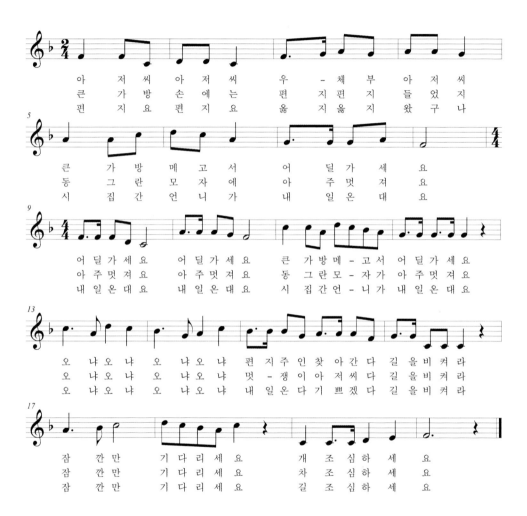

아 저 씨 아 저 씨 우 - 채 부 아 저 씨
큰 가 방 손 에 는 편 지 편 지 들 었 지
편 지 요 편 지 요 옳 지 옳 지 왔 구 나

큰 가 방 메 고 서 어 딜 가 세 요
동 그 란 모 자 에 아 주 멋 져 요
시 집 간 언 니 가 내 일 온 대 요

어 딜 가 세 요 어 딜 가 세 요 큰 가 방 메 - 고 서 어 딜 가 세 요
아 주 멋 져 요 아 주 멋 져 요 동 그 란 모 - 자 가 아 주 멋 져 요
내 일 온 대 요 내 일 온 대 요 시 집 간 언 - 니 가 내 일 온 대 요

오 냐 오 냐 오 냐 오 냐 편 지 주 인 찾 아 간 다 길 을 비 켜 라
오 냐 오 냐 오 냐 오 냐 멋 - 쟁 이 아 저 씨 다 길 을 비 켜 라
오 냐 오 냐 오 냐 오 냐 내 일 온 다 기 쁘 겠 다 길 을 비 켜 라

잠 간 만 기 다 리 세 요 개 조 심 하 세 요
잠 간 만 기 다 리 세 요 차 조 심 하 세 요
잠 간 만 기 다 리 세 요 길 조 심 하 세 요

고추잠자리

정근 작사·작곡

싱 싱 날아라 잠자리비행기
싱 싱 날아라 잠자리비행기

들판을 날아가 - 는 멋 진 - 비행기
하늘을 마음대 - 로 날 으는비행기

푸른하늘 지 - 키 - 는 벌레나라비행기
나 도나도 하 - 늘 - 을 날 - 고 - 싶구나

하 늘의 용 사 - 다 고 추잠자리
저 멀리 산 을넘어 가 고싶구나

토마토

정근 작사·작곡

토 마 토 는 요 빨 - 강 구 요
토 마 토 는 요 동 그 랗 구 요
토 마 토 는 요 먹 으 면 은 요

정 말 로 정 말 로 어 여 쁘 지 요
정 말 로 정 말 로 귀 여 웁 지 요
정 말 로 정 말 로 맛 이 있 어 요

안녕히 안녕

정근 작사·작곡

동 실 동 실 햇 - 님 이 서 산 에 가 면

왼 쪽 길 로 안 - 녕 히 가 시 라 고 요

손 에 손 에 손 은 잡 고 안 녕 히 안 녕

선 생 님 과 친 구 들 도 안 녕 히 안 녕

쭈루르르 미끄럼

정근 작사·작곡

때구르르르구르고 쭈루르르르미끄럼 곰돌이겨울놀이 재미있구나

미 끌미끌미끌쭈 르쭈르쭈르 쭈르르딍굴곰돌 이 겨울미끄럼

가을 운동회

정근 작사·작곡

오 늘 – 은 즐 거 – 운 가 을 운 동 회
선 생 님 도 엄 마 – 도 달 리 기 선 수

깃 발 을 – 날 리 면 서 우 리 모 두 힘 차 게
누 가 누 가 잘 뛰 – 나 내 기 한 번 해 보 자

저 쪽 편 아 이 겨 라 우 리 편 도 이 겨 라
선 생 님 도 이 겨 라 우 리 엄 마 이 겨 라

펭귄

정근 작사·작곡

뒤 뚱 뒤 뚱 얼 음 나 라 펭 권 친 구 는
뒤 뚱 뒤 뚱 하 얀 배 를 내 밀 고 가 네

날 - 개 는 있 어 도 날 지 못 해 요
고 기 잡 이 간 다 고 뽐 내 는 거 야

뒤 뚱 뒤 뚱 걷 는 모 습 우 습 구 나 야
뒤 뚱 뒤 뚱 바 닷 물 에 퐁 당 빠 졌 다

꼬마 염소

정근 작사·작곡

음 매 - 음 매 - 꼬 마 염 소 가
음 매 - 음 매 - 하 얀 염 소 가

파 - 란 잔 디 에 서 울 고 있 어 요
까 - 만 염 소 보 고 울 고 있 어 요

아 직 도 두 살 밖 에 안 되 었 는 데
자 기 도 까 만 옷 을 입 고 싶 다 고

턱 밑 에 하 얀 수 염 자 라 났 다 고
짜 - 증 내 는 소 리 귀 여 웁 지 요

일년
봄 여름 가을 겨울

정근 작사·작곡

겨 울 이 하 얀 도 화 지 라 면
여 름 이 파 란 하 늘 이 라 면

봄 - 은 분 홍 꽃 이 랍 니 다
가 을 은 빨 간 단 풍 이 래 요

새로 사귄 좋은 친구들

정근 작사·작곡

안녕하세요 나의 친구들 샛별같 – 은 예쁜 눈동자
안녕하세요 나의 친구들 한 길 에 – 서 서로 만나면

방글방글 웃으며 뛰어놉시다 우리는 새로 사귄 좋은 친구들
생글생글 웃으며 인사합시다 우리는 새로 사귄 좋은 친구들

눈이 오는데

정근 작사·작곡

흰 눈이 펑 펑 펑 쏟 아 지 는 데
흰 눈이 펑 펑 펑 쏟 아 지 는 데

바 둑 이 는 눈 위 에 서 꼬 리 친 대 요
참 새 들 이 나 무 에 서 지 저 권 대 요

눈 속 에 묻 히 면 은 어 떡 하 려 고
가 지 가 부 러 지 면 어 떡 하 려 고

어 서 어 서 화 롯 가 로 뛰 어 오 너 라
어 서 어 서 둥 지 찾 아 날 아 가 거 라

소풍 가는 날

정근 작사·작곡

오 늘 - 은 즐 거 - 운 소 풍 - 날 - 이 - 다
야 신 난 다 오 늘 - 은 우 리 집 소 풍 가 는 날

도 시 - 락 과 일 과 자 어 깨 에 둘 러 메 고
도 시 - 락 과 일 과 자 물 통 을 둘 러 메 고

친 구 들 과 손 에 손 잡 고 들 로 - 나 가 - 자
엄 마 아 빠 손 에 손 잡 고 시 원 한 개 울 가 로

들 에 핀 예 쁜 꽃 도 반 겨 줍 니 다 우 리 들 의 즐 거 운 소 풍 날
산 새 가 지 저 귀 는 숲 으 로 가 자 오 늘 은 우 리 집 의 소 풍 날

꽃을 가꿉시다

정근 작사·작곡

꽃 과 나 무 를 가 꿉 시 다 물 을 주 고 거 름 을 주 고

꽃 이 피 면 꺾 지 말 고 우 리 모 두 사 랑 합 시 다

봄 에 피 는 예 쁜 꽃 - 도 내 손 으 로 가 꿉 시 다

아 름 다 운 꽃 밭 - 을 내 손 으 로 가 꿉 시 다

바람아 불어라

정근 작사·작곡

눈 에 는 안 보여도 지 나 가 는 바 람 - 에

나 뭇 가 지 흔 들 흔 - 들 장 단 맞 춰 춤 춘 - 다

바 람 아 불 - 어 - 라 나 무 야 춤 - 춰 - 라

바 람 아 불 - 어 - 라 팔 랑 팔 랑 불 - 어 - 라

바람개비

정근 작사·작곡

빙글빙글- 빙글빙글- 돌아가는 바람개비-
빙글빙글- 빙글빙글- 돌아가는 바람개비-

푸른바람- 마-시며- 푸른들을달린다 하늘
저녁노을- 아름다운- 언덕길을달린다 냇가

에는새들이 노래하며날으고 들에핀꽃들도춤춘 다
에는물새가 노래하며날으고 들에핀꽃들도춤춘 다

바람개비 돌리며 우리도달-린-다
바람개비 돌리며 우리도달-린-다

불조심

정근 작사·작곡

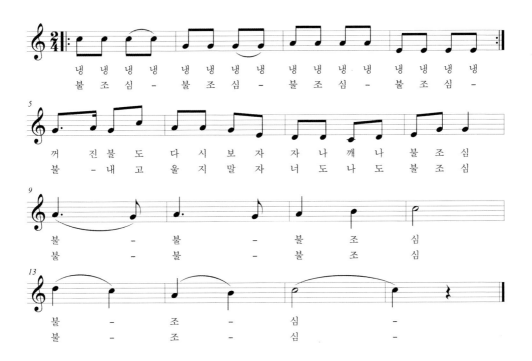

냉 냉 냉 냉 냉 냉 냉 냉 냉 냉 냉 냉 냉 냉 냉 냉
불 조 심 - 불 조 심 - 불 조 심 - 불 조 심 -

꺼 진 불 도 다 시 보 자 자 나 깨 나 불 조 심
불 - 내 고 울 지 말 자 너 도 나 도 불 조 심

불 - 불 - 불 조 심
불 - 불 - 불 조 심

불 - 조 - 심 -
불 - 조 - 심 -

눈꽃

정근 작사·작곡

하늘에서 날아온 하얀 눈꽃은
온 세상이 새하얀 눈나란가 봐

반짝반짝 빛나는 얼음꽃이래
나무에도 눈꽃이 피었습니다

구름속에 숨었다 내려왔지요
하늘에서 날아온 하얀눈나라

바람에 날아온 눈꽃송이죠
더없이 깨끗한 하얀눈나라

바다

정근 작사·작곡

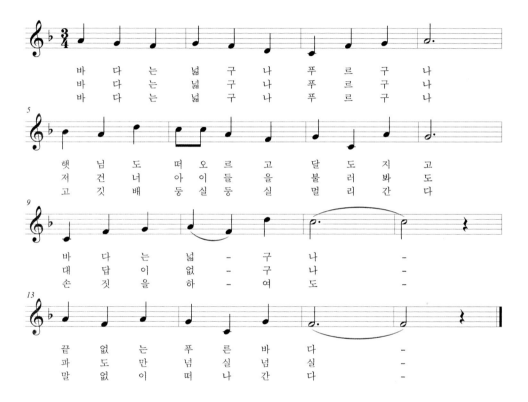

바 다 는 넓 구 나 푸 르 구 나
바 다 는 넓 구 나 푸 르 구 나
바 다 는 넓 구 나 푸 르 구 나

햇 님 도 떠 오 르 고 달 도 지 고
저 건 너 아 이 들 을 불 러 봐 도
고 깃 배 둥 실 둥 실 멀 리 간 다

바 다 는 넓 - 구 나 -
대 답 이 없 - 구 나 -
손 짓 을 하 - 여 도 -

끝 없 는 푸 른 바 다 -
파 도 만 넘 실 넘 실 -
말 없 이 떠 나 간 다 -

가랑잎

정근 작사·작곡

가을바람에 신 나게놀아나는 노 랑빨강가랑잎
산들바람에 멀 리서날아온다 노 랑빨강가랑잎

파란하늘에금을그며재주넘는가 랑 – 잎
높은돌담을마음대로넘어오는가 랑 – 잎

흰 눈이오기전 – 에 마음대로날 아 – 라
가 을이가기전 – 에 마음대로날 아 – 라

봄 오는 소리

정근 작사·작곡

사 르 르 르   먼 – 산 에   눈 이 녹 – 으 면
산 모 퉁 에   아 지 랑 이   피 어 오 – 르 면

얼 음 장 밑 – 으 로   봄 오 는   소 리
땅 속 에 새 싹 들 의   숨 쉬 는   소 리

조 르 르   조 르 르   개 울 물   소 리
바 스 슥   힘 차 게   잠 깨 는   소 리

따 스 한   봄 바 람 에   실 려 옵 – 니 다
따 뜻 한   햇 빛 속 에   들 려 옵 – 니 다

봄이 온다네

정근 작사·작곡

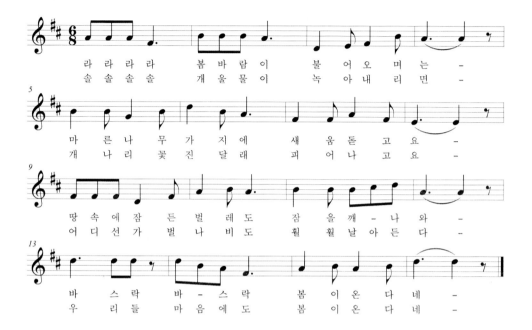

라라라라 봄바람이 불어오며는 -
솔솔솔솔 개울물이 녹아내리면 -

마른나무가지에 새움돋고요 -
개나리꽃진달래 피어나고요 -

땅속에잠든벌레도 잠을깨나와 -
어디선가벌나비도 훨훨날아든다 -

바스락바스락 봄이온다네 -
우리들마음에도 봄이온다네 -

눈꽃나라

정근 작사·작곡

아 기가 잠든 사이에 하얀 눈이 내렸 - 다
아 기가 타고 놀 - 던 세발자전거에 - 도

송 이 송 이 눈꽃 송 - 이 예쁜꽃이 피었 다
하 얀 눈 이 보송보 - 송 많이많이 내렸 다

눈 나 라 꽃 밭 - 을 옮 겨 왔 나 봐
꿈 속 에 눈 나 라 를 다 녀 왔 나 봐

하 얀 눈 아 송 이 송 - 이 곱 게 피 어 라
눈 - 나 라 예쁜 꽃 - 들 많 이 피 어 라

고드름

정근 작사·작곡

고 드 름 고 드 름 처 마 밑 에 고 드 름

해 가 지 면 좋 아 서 길 게 길 게 자 란 다

해 가 뜨 면 싫 - 어 - 서 눈 물 을 흘 린 다

똑 똑 또 로 로 롱 잘 도 녹 는 다

겨울밤

정근 작사·작곡

가 랑잎이 하 나둘 떨 어 지 는 밤
함 박눈이 내 리는 한 겨 울 밤 에

멀 리서 부 엉부엉 우 는소 리 에
부 엉새 부 엉부엉 우 는사 이 에

겨 울밤은 자 - 꾸만 깊 어 만 간 다
산 도들 도 하 얗 - 게 눈 이쌓 이 네

시 골가 신 엄 마가 생 각 납 니 다
서 울가 신 아 빠가 언 제 오 시 나

밤하늘

정근 작사·작곡

햇 님 아 빠 잠 이 든 넓 은 하 늘 에 —
새 — 들 도 잠 이 든 어 두 운 밤 에 —

아 기 별 이 반 짝 반 짝 눈 — 을 뜨 — 지 요 —
아 기 별 이 혼 자 나 와 놀 — 고 있 — 다 가 —

언 니 별 동 생 별 모 두 모 — 여 서 —
혼 자 서 무 서 워 깜 박 깜 박 여 요 —

달 님 엄 마 노 래 맞 춰 춤 — 을 추 — 지 요 —
달 님 엄 마 숨 기 전 에 어 — 서 가 — 거 라 —

5월의 노래

정근 작사·작곡

오 월은 　우리의달 　즐거운 - 나 - 날
불러라 　나의노래 　회망의 - 노 - 래

푸른들판에 　날으는새 처럼 　날아가리 라
넓은들판에 　노래를부 르네 　앞서가리 라

줄기찬 　희망봉을 　찾아서가자
새날의 　꿈을싣고 　힘차게가 - 자

오 월은 　희망의달 　우리들의 달
오 월은 　희망의달 　우리들의 달

꽃가루 날리자

정근 작사·작곡

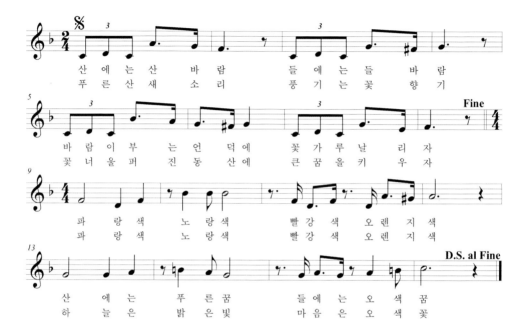

산에는 산 바람 들에는 들 바람
푸른 산새 소리 풍기는 꽃 향기

바람이 부 는 언 덕에 꽃가루 날 리 자
꽃너울 퍼 진 동산에 큰 꿈을 키 우 자

파 랑색 노 랑색 빨강색 오렌 지 색
파 랑색 노 랑색 빨강색 오렌 지 색

산 에는 푸 른꿈 들에는 오 색꿈
하 늘은 밝 은빛 마음은 오 색꽃

노래는 즐거워

정근 작사·작곡

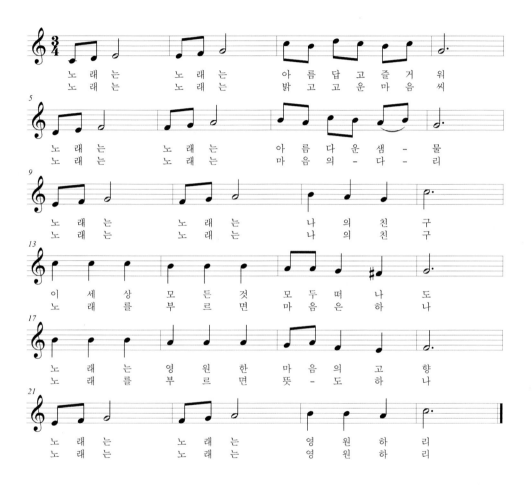

즐거운 설날

정근 작사·작곡

설 설 설 설 즐거운설날 동 네방 네뛰 다니 며 새 배하 는날
설 설 설 설 새로온설날 새 신신 고꼬 까입 고 놀 이하 는날

밤 - 대 추 흰 떡먹 고 떡 국 도 먹 고
너 - 방 긋 나 - 방 긋 한 살 더 먹 고

까 치 동 무 노 래하 는 즐 거 운 설 날
해 도 달 도 방 긋방 긋 즐 거 운 설 날

옛날 이야기 해주세요

정근 작사·작곡

잠자리 모자

정근 작사·작곡

모자를 썼는데 눈이 보이네 구멍 난 내 모자

잠자 리 잡다 가 찢어진 모자 밀 – 대로 만든 내 모 자

88올림픽

정근 작사·작곡

꿈 속에 그리는 고향

정근 작사·작곡

간밤에 꿈 꿈속에서 뵈었습니다 나를
밤사이 잘 주무셨나 걱정이 됩니다 멀리

꼭 - 안아주신 어머님의 - 그모습
서 - 바라보신 어머님의 - 눈동자

꿈 속에 그리는 고향

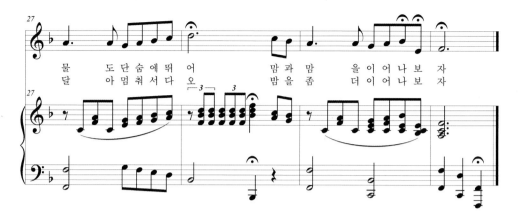

물 　 도 단 숨 에 뛰 어 　 맘 과 맘 　 을 이 어 나 보 　 자
달 　 아 멈 춰 서 다 오 　 밤 을 좀 　 더 이 어 나 보 　 자

충효가

정근 작사·작곡

삼 - 천 리금수강 산 아름다 운이 나 라 예의
국 조 이 신단군님 이 삼강오 륜이어받 아 나라

로 서오랜전 통이 어 온우리겨 - 레
에 - 충성하 고부모 님 께효도하 - 며

충효가

동-방 의 빛이 여라 나라사 랑 효도 의길
은사 님 을 존경 하고 사천만 의 힘을 보아

온누리 가 지켜 가자 우리의 - 자 - 랑
남북통 일 이룩 하고 예의지 국 이뤄보세

이야기를 들려주세요

정근 작사·작곡

즐겁 고 재미나는 옛 날 이야기 신 나는 이 – 야 기 들려주세요

형 님 먼 저 아우 먼저 서로 돕 는 아름다운 이 야 기

욕 심 많은 놀부 이야기 은 혜 모 르 는 호 랑 – 이

아 – 아 즐 – 거 운 우리들의이 야 기

아기가 놀다가

정근 작사·작곡

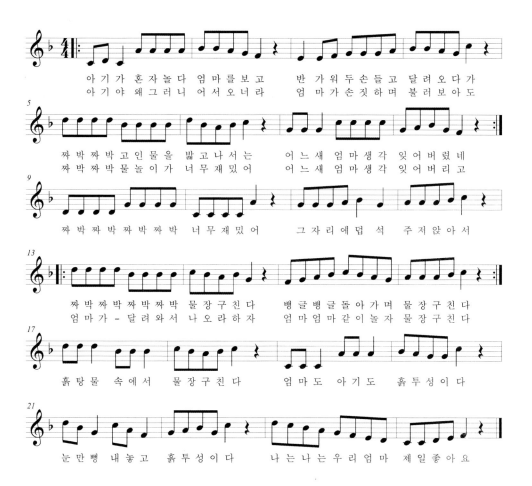

아기가 혼자 놀다 엄마를 보고　반가워 두 손 들고 달려오다가
아기야 왜 그러니 어서 오너라　엄마가 손짓하며 불러 보아도

짜박짜박 고인 물을 밟고 나서는　어느새 엄마 생각 잊어버렸네
짜박짜박 물놀이가 너무 재밌어　어느새 엄마 생각 잊어버리고

짜박짜박 짜박짜박 너무 재밌어　그 자리에 덥석 주저앉아서

짜박짜박 짜박짜박 물장구친다　뱅글뱅글 돌아가며 물장구친다
엄마가 - 달려와서 나오라 하자　엄마엄마 같이 놀자 물장구친다

흙탕물 속에서 물장구친다　엄마도 아기도 흙투성이다

눈만 빵 내놓고 흙투성이다　나는 나는 우리 엄마 제일 좋아요

무슨 소릴까

정근 작사·작곡

때굴때굴 때때굴 무슨소릴까 무슨 소릴까

때 굴 때 굴 때 때 굴 (간주)

산 새 들 이 둥 지 찾 아 돌 아 온 달 밤 때 굴 때 굴 때 때 굴 흉 내 를 낸 다 －

살 랑 살 랑 바 람 이 불 어 올 때 면 땡 그 랑 땡 그 랑 풍 경 소 리 듣 고 서

땡 그 랑 때 굴 땡 그 랑 땡 때 때 굴 － 그 소 리 흉 내 내 면 서 굴 러 내 린 다

무 엇 일 까 무 엇 일 까 누 가 버 린 깡 통 일 까 낙 옆 위 로 달 려 가 는 방 울 소 리 일 까

때 굴 때 굴 때 때 굴 금 잔 디 에 멈 췄 다 －

하 하 하 하 알 밤 잘 － 익 － 은 알 밤 고 소 한 알 밤 이 었 대

붕어빵 1

정근 작사·작곡

즐겁고 경쾌하게

엄마가 시장 갔다 돌아오실 때 따끈한 봉지를 갖다 주었죠

이게 뭘까 살며시 냄새를 맡아 보니까
(이게 뭘까 살며시 냄새를 살며시 냄새를 맡아 보니까)

아 - - 구수한 냄새 붕 어빵 냄새
(붕어빵 냄새)

침이 꿀꺽 넘어 갔어요 정말정말 맛있는 냄새

침이 꿀꺽 - 넘어 갔어요 정말정말 - 맛있는 냄새

붕어빵 2

정근 작사·작곡

즐거운 소풍

정근 작사
정근 작곡

랄 라랄 라 라   랄 라랄 -   오 늘은즐 거 운 소 풍 날
랄 라랄 라 라   랄 라랄 -   오 늘은즐 거 운 소 풍 날

손 에 손   잡 - 고 서   들 로 산 으 로 가   자
공 기 도   좋 - 구 나   마 음 대 로 뛰 놀   자

푸 른 나 무 도 반 겨 준 - 다   산 새 들 도 노 래 한 - 다
푸 른 바 람 이 불 어 온 - 다   춤 을 추 며 노 래 한 - 다

랄   랄 라   랄 라 랄 라   즐 거 운 소 풍   날
랄   랄 라   랄 라 랄 라   신 나 는 소 풍   날

빙빙 돌아라

정근 작사
정근 작곡

손을잡고오른쪽으로빙빙돌아라

손을잡고왼쪽으로빙빙돌아라

뒤로살짝물러났다앞으로다시들어가

손뼉치며안아주세요

빵을 만들자

정근 작사
정근 작곡

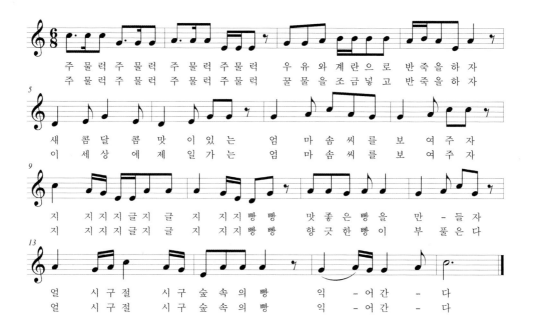

주 물 럭 주 물 럭 주 물 럭 주 물 럭 우 유 와 계 란 으 로 반 죽 을 하 자
주 물 럭 주 물 럭 주 물 럭 주 물 럭 꿀 물 을 조 금 넣 고 반 죽 을 하 자

새 콤 달 콤 맛 이 있 는 엄 마 솜 씨 를 보 여 주 자
이 세 상 에 제 일 가 는 엄 마 솜 씨 를 보 여 주 자

지 지 지 지 글 지 글 지 지 지 빵 빵 맛 좋 은 빵 을 만 – 들 자
지 지 지 지 글 지 글 지 지 지 빵 빵 향 긋 한 빵 이 부 풀 은 다

얼 시 구 절 시 구 숲 속 의 빵 익 – 어 간 – 다
얼 시 구 절 시 구 숲 속 의 빵 익 – 어 간 – 다

침이 꼴깍

정근 작곡
정근 작사

이 게 무슨 냄 샐 까　어 디 서 나는 냄 새 일 까
정 말 무 슨 냄 샐 까　엄 마 의 냄새 빵냄새 야

향 기 로운냄 새 야　침 이 꼴 깍 넘 어 가 네
우 리 엄마솜 씨 야　침 이 꼴 깍 넘 어 가 네

나 한 입만 줘

정근 작사
정근 작곡

굴러가는 빵

정근 작사
정근 작곡

데굴데굴데굴데굴 굴러간다　어머니가 만든 빵이 구른다
데굴데굴데굴데굴 달려간다　어머니가 만든 빵을 잡아라

멈춰라 멈춰 - 빨리 멈춰라　데굴데굴데굴데굴 어서 멈춰라
멈춰라 멈춰 - 거기 멈춰라　저기저기 굴러간다 어서 잡아라

저기저기 굴러간다　어서 잡아라　떼떼굴 떼떼굴 굴러간다 빵
저기저기 굴러간다　어서 잡아라　엄마가 만든 빵 맛 좀 보자 빵

내 이름은 빵빵빵

정근 작사
정근 작곡

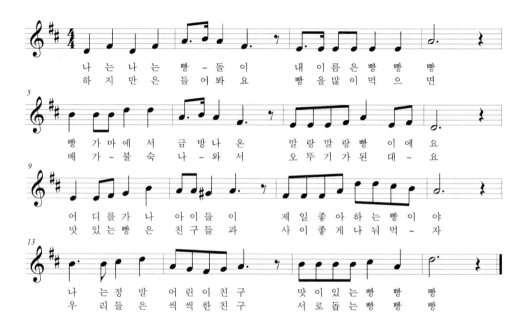

나 는 나 는 빵 – 돌 이   내 이름은 빵 빵 빵
하 지 만 은 들 어 봐 요   빵 을 많 이 먹 으 면

빵 가 마 에 서 금 방 나 온   말 랑 말 랑 빵 이 에 요
배 가 – 불 숙 나 – 와 서   오 뚜 기 가 된 대 – 요

어 디 를 가 나 아 이 들 이   제 일 좋 아 하 는 빵 이 야
맛 있 는 빵 은 친 구 들 과   사 이 좋 게 나 눠 먹 – 자

나 는 정 말 어 린 이 친 구   맛 이 있 는 빵 빵 빵
우 리 들 은 씩 씩 한 친 구   서 로 돕 는 빵 빵 빵

꿀꿀이 노래

정근 작사
정근 작곡

나 는 나 는 꿀-꿀 이 무 엇 이든 지 잘 먹어 요

그 - 래 서 이렇게 튼 튼 하지않 아 요 골 고루골 고루 잘 먹어 야 지

나 는 나 는 꿀꿀이 먹 보 랍 니 다 골 고루먹 는애 가 내친 구 예 요

꿀 꿀 꿀 돼 지 밥 잘 먹 는 꿀 꿀 이 밥 잘 먹 는 어 린 이 가 제 일 좋 아 요

2 장

노랫말 쓰고 여러 작곡가가
작곡한 동요(20곡)

망아지

정근 작사
이은렬 작곡

망 아 지 가 엄 마 따 라 서 뚜 벅 뚜 벅 걸 어 간 다
망 아 지 가 엄 마 떨 어 져 멀 리 멀 리 뛰 어 간 다

엄 마 말 이 도 망 갈 까 봐 따 라 - 가 나 봐
금 잔 디 가 파 란 들 판 을 뛰 고 - 싶 나 봐

비눗방울

정근 작사
이은렬 작곡

비눗방울 날아 간 - 다 언니방울아우방 울
하늘에서깜 박 꺼 졌 - 다 무 - 지개비눗방 울

사이좋게 날 아 간 - 다 바람따 - 라 둥 - 둥 - 둥
쌍 - 둥이비 눗 방 - 울 꺼지지마 라 꺼지지마 라

오리들의 학교

정근 작사
이은렬 작곡

오리들의학 교는 재미있구나　선생님을따 라서 노래합니다
언니들을따 라온 애기오리도　노란부리벌 려서 따라합니다

꽥　꽥　꽥꽥굴 꽥　꽥　꽥꽥굴 날개치며꽥　꽥　　굴
꽥　꽥　꽥꽥굴 꽥　꽥　꽥꽥굴 물갈퀴며꽥　꽥　　굴

추석달

정근 작사
이은렬 작곡

달아 달아 밝은 달 팔월 추 석 달 -

때 때 옷을 갈 아 입고 어 디 로 - 갈 까 -

뒷 동 산 에 올 라 가 달 마 중 하 - 고 - - -

강 강 술 래 놀 이 하 고 뛰 어 놀 지 요 -

풀피리

정근 작사
이은렬 작곡

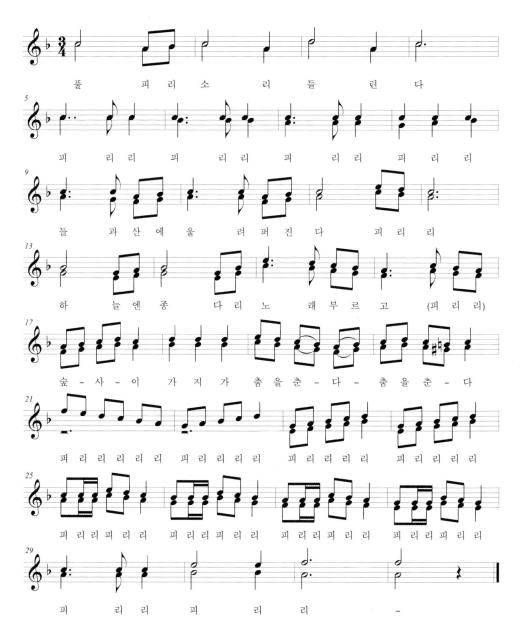

풀 피리소 리 들 린다

피 리 리 피 리 리 피 리 리 피 리 리

들 과 산 에 울 려 퍼 진 다 피 리 리

하 늘 엔 종 다 리 노 래 부 르 고 (피 리 리)

숲 - 사 - 이 가 지 가 춤을 춘 - 다 - 춤을 춘 - 다

피 리 리 리 리 리 피 리 리 리 리 피 리 리 리 리 피 리 리 리 리

피 리 리 피 리 리 피 리 리 피 리 리 피 리 리 피 리 리 피 리 리 피 리 리

피 리 리 피 리 리 -

즐거운 우리집

정근 작사
이재석 작곡

하 하 호 호 우 리 집 은 꽃 이 피 는 집

착 한 사 람 되 - - - 어 라 엄 마 의 말 씀

튼 튼 하 게 자 라 라 아 빠 의 말 씀

하 하 호 호 웃 는 얼 굴 즐 - 거 운 우 리 집

솜사탕

정근 작사
이수인 작곡

나뭇가지에 실처럼– 날아온솜사탕

하얀눈처럼 희고도– 깨끗한솜사탕

엄마손잡고 나들이갈때 먹어본솜사탕

호호불면은 구멍이뚫리는 커다란솜사탕

버스여행

정근 작사
이수인 작곡

뛰뛰 빵빵 뛰뛰 빵빵 — 버스 를 타고 갑시 다 뛰뛰 빵빵 —

실바람이 살랑대는 시골길을따라서 꽃피 는 동산을찾 아

뛰뛰빵빵 — 즐겁게 달려갑시다 마음도가 볍 게 릴랄

랄 랄랄랄랄랄 라 랄랄랄 랄랄랄랄랄 라 랄랄

랄 랄랄랄랄랄 라 랄랄랄 랄랄랄랄랄 라

구름

정근 작사
이수인 작곡

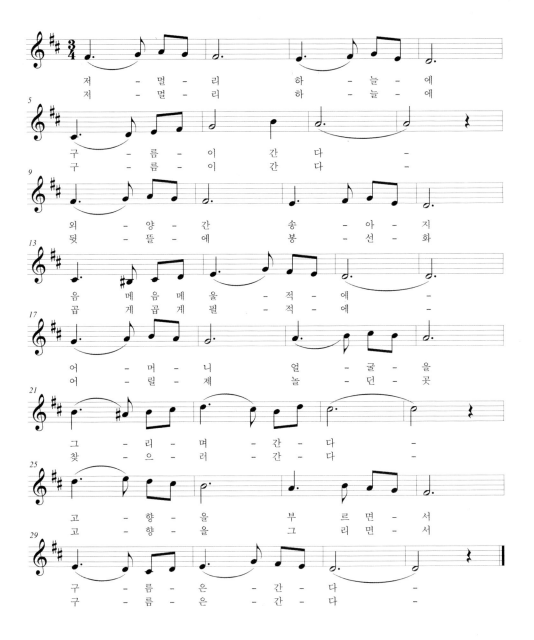

나의 하루

정근 작사
이수인 작곡

아 침 햇 빛 밝 아 오 는 - 이 른 아 침 - 에
저 녁 노 을 아 름 답 게 - 수 놓 을 때 - 면

두 손 모 아 하 루 일 을 - 생 각 합 니 다
하 루 일 을 재 미 나 게 - 애 기 합 니 다

학 교 에 선 동 무 들 과 - 사 이 좋 게 공 부 잘 하 고
아 빠 엄 만 집 - 안 일 - 두 루 두 루 돌 봐 주 시 고

집 에 오 면 심 부 름 도 잘 한 답 니 다
나 는 나 는 내 일 공 부 예 습 합 니 다

둥글게 둥글게

정근 작사
이수인 작곡

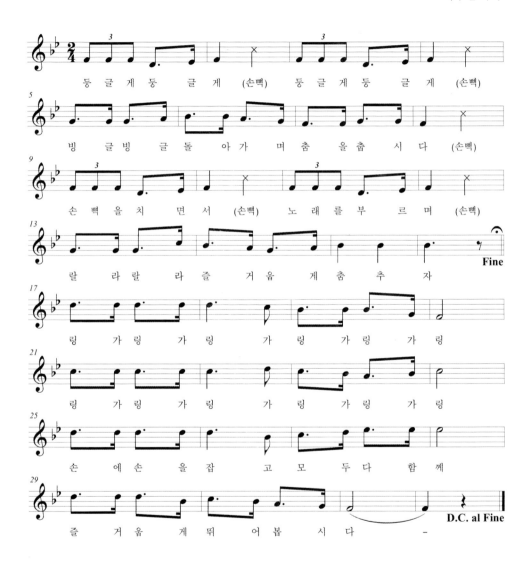

바람

정근 작사
유병무 작곡

산 - 에 - 부 는 바 람 은 장 - 난 - 꾸 러 기
들 - 에 - 부 는 바 람 은 재 - 주 - 꾼 이 지

파 - 랑 - 파 랑 잎 새 로 날 아 다 니 며
노 - 랑 - 노 랑 잎 새 로 날 아 다 니 며

빨 - 간 - 꽃 - 잎 을 그 - 려 - 놓 아 요
하 - 얀 - 눈 - 꽃 을 그 - 려 - 놓 아 요

춤추는 갈매기

정근 작사
이수인 작곡

숲 속의 노래

정근 작사
이수인 작곡

꾸러기

정근 작사
박흥수 작곡

나 는 나 는 어 제 까 지 늦 잠 자 는 꾸 러 기 였 죠
나 는 나 는 어 제 까 지 욕 심 많 은 꾸 러 기 였 죠
나 는 나 는 어 제 까 지 심 술 궂 은 꾸 러 기 였 죠
나 는 나 는 어 제 까 지 몹 쓸 장 난 꾸 러 기 였 죠

아 침 해 가 동 동 동 동 떠 올 라 도 쿨 쿨 쿨
동 생 것 도 달 달 달 달 모 두 뺏 어 용 용 용
자 는 애 를 깨 — 워 서 울 려 보 고 하 니 까
문 구 멍 을 뚫 — 어 서 바 람 소 리 쌩 쌩 쌩

아 니 아 니 아 니 야 새 해 에 는 그 런 일 정 말 정 말 정 말 정 말 없 을 거 예 요

아 니 아 니 아 니 야 새 해 에 는 그 런 일 정 말 정 말 정 말 정 말 없 을 거 예

요 —

보따리

정근 작사
박홍수 작곡

보따리보따리 싸들고가시는
보따리보따리 싸들고가시는

할아버지보따리할아버지보따리할아버지보따
할-머니보따리할-머니보따리할-머니보따

리 시루떡콩떡 빈대떡보따리
리 산나물더덕 콩나물보따리

손자들주려고 싸가시는보따리
저녁밥반찬을 싸가시는보따리

오솔길

정근 작사
나동순 작곡

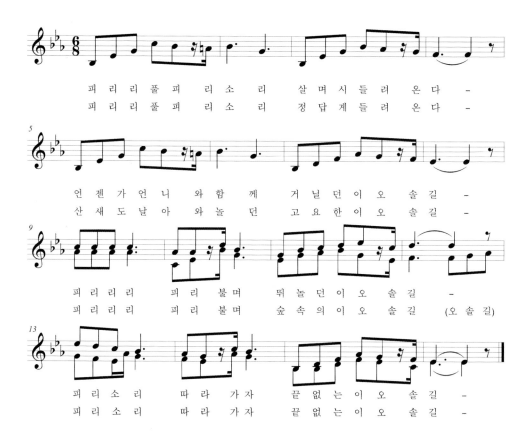

피리리풀피리소리 살며시들려온다 —
피리리풀피리소리 정답게들려온다 —

언젠가언니와함께 거닐던이오솔길 —
산새도날아와놀던 고요한이오솔길 —

피리리리 피리불며 뛰놀던이오솔길 —
피리리리 피리불며 숲속의이오솔길 (오솔길)

피리소리 따라가자 끝없는이오솔길 —
피리소리 따라가자 끝없는이오솔길 —

반디 반디 반딧불

정근 작사
김규환 작곡

밤 하늘에 반 짝이 는 반 디반디반 딧 불

햇 님과놀 땐 개 똥벌 레 달 님과놀땐우 리 들친 구

글 하나읽 고 별 하나세고 마 음을밝혀 주는 반 딧 불

고 향소 식 전 해주 는 반 디반 디반 딧 불

첫 눈 오는 날

정근 작사
김규환 작곡

첫 눈 이 내 린 아 침 에 뽀드득 눈 길 을 달 린 다 눈부신

은 빛 눈 발 이 사르르 꽃잎처럼 날 린 다 온 세

상 이 하 얀 눈 길 곳곳마 다 하 얀 길 신 나 게

뛰 어 가 보 자 새 하 얀 눈 - 나 라 눈 나 라

새 아침의 요들

정근 작사
박형신 작곡

3 장

여러 시인의 시에 작곡한 동요
(19곡)

여우비

박목월 작시
정근 작곡

땡 볕 나 는데 오 는비 여 우 비

시 집가 는꽃 가마 한 방울 오 - 고

뒤 에가 는당 나귀에 두 방 울오 고

오 는비 여 우 비 쨍 쨍 - 개었 다

동무 없으면

김용택 작시
정근 작곡

동무없으면 냇가에나가서 고기들이랑놀지

동무없으면 강변에서 개구리들이랑 – 놀 – 지

동무없으면 마당에서 바둑이랑놀 – – 지

동무없으면 집뒤에가 – 서 홍시감따며놀 – 지

동무없으면 밤하 – 늘 – 에 별들이랑놀 – 지

동무없으면 동무없으면 동무가없으면 우리동네나혼자니까

나랑 – 놀다가 그냥자지뭐 소쩍새소리나듣다가 그냥자지뭐

우리 아빠 시골 갔다 오시면

김용택 작시
정근 작곡

방 안의 꽃

김용택 작시
정근 작곡

오 줌 싸 도 이 쁘 고 응 아 해 도 이 쁘 고

앙 앙 울 어 도 이 쁘 고 잠 을 자 도 이 쁘 고

깨 어 나 도 이 쁘 고 이 리 보 아 도 이 쁘 고

저 리 보 아 도 이 쁘 고 얼 럴 럴 둥 게 둥 게 얼 럴 러 러

음 — — 음 — — — — 음 — — — 음 —

꽃 중 의 꽃 방 안 의 꽃 우 리 아 기 우 리 아 기

외갓집

김상옥 작시
정근 작곡

외 갓집 은 산 넘어 늘 어진 들 – 길

꼬 불꼬 불 산 – 너 머 길 은멀 어 도

길 섭에 는 들 국화 꽃 이피 는 – – 데

들 – 국 화 세 고 가면 이 내갑 니 다

삐비

김상옥 작시
정근 작곡

강골산 달롱개산 삐비 뽑으러 가자 장골산 달롱개산 삐비 뽑으러 가자

삐비 삐비 뽑아서 손에 손에 쥐고 손에도 한줌 차거든 손에도 한줌 차거든

옷고름에 대롱대롱 달고 오자 옷고름에 대롱대롱 달 - 고 오자

옷고름에 옷고름에 달고 오다가 토끼처럼 깡총깡총 뛰 - 어 오자

징검다리 - 건너오다가 - 옷고름 고 - 름 풀 - 어 질 라

낙엽

정희기 작시
정근 작곡

누군가 나에게 말했다 가을이왔 - 다 - 고

아마 - 도 길거리에 떨어진낙엽이그 랬나봐

길거리를걸을때는 심심치않다 낙엽 - 밟는소리와 이야기나누기때문이다

낙엽은또다시나에게 말한다 가을이 왔다 고

꽃사슴

유경환 작시
정근 작곡

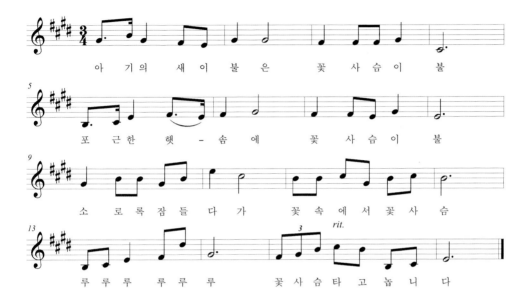

아 기의 새 이 불 은 꽃 사 슴 이 불

포 근 한 햇 - 솜 에 꽃 사 슴 이 불

소 로 록 잠 들 다 가 꽃 속 에 서 꽃 사 슴

루 루 루 루 루 루 꽃 사 슴 타 고 놉 니 다

민들레

이슬기 작시
정근 작곡

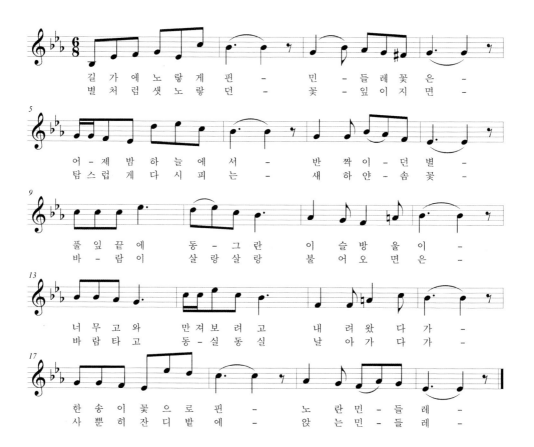

길가에 노랗게 핀 – 민 – 들레 꽃은 –
별처럼 샛노랗던 – 꽃 – 잎이 지면 –

어 – 제 밤 하늘에서 – 반짝이 – 던 별 –
탐스럽게 다시 피는 – 새하얀 – 솜꽃 –

풀잎 끝에 동 – 그란 이슬 방울이 –
바 – 람이 살랑살랑 불어 오면은 –

너무 고와 만져 보려고 내려 왔다 가 –
바람 타고 동 – 실 동실 날아 가다 가 –

한 송이 꽃으로 핀 – 노란 민 – 들레 –
사뿐히 잔디밭에 – 앉는 민 – 들레 –

달밤

이슬기 작시
정근 작곡

아 가야 – 오 늘밤––에 뜨락으로나와보 –럼
아 가야 – 오 늘밤––에 뜨락으로나와보 –럼

바람불어와 꽃잎은 – 물결처럼흔들리는 데
바람불어와 꽃잎은 – 도란도란속삭이는 데

가만가만내려앉은 저–달빛은 – 모두네가가–지–럼
가만가만내려앉은 저–별빛은 – 모두네가가–지–럼

그리고마음속 엔 저 달빛처 럼 환한꿈을간 직하럼
그리고마음속 엔 저 별빛처 럼 고운꿈을간 직하럼

하늘

이슬기 작시
정근 작곡

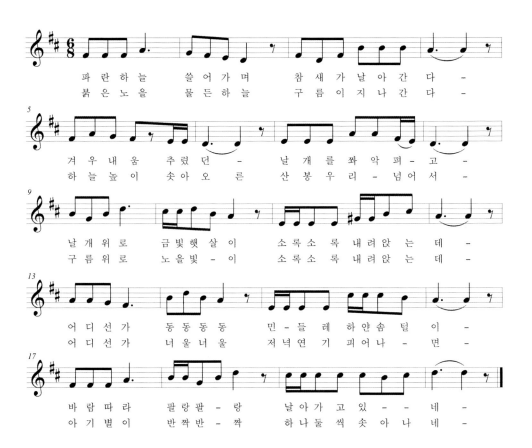

꽃들의 웃음

이슬기 작시
정근 작곡

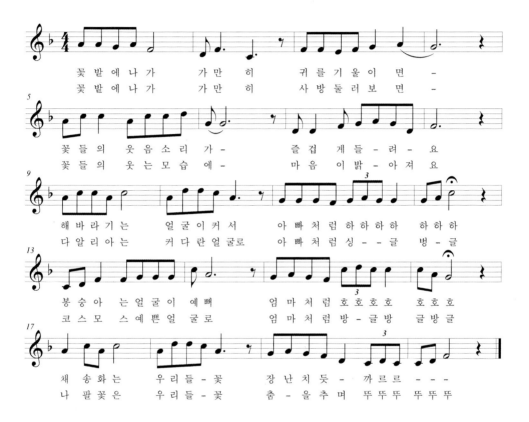

꽃밭에나가 가만히 귀를기울이면 -
꽃밭에나가 가만히 사방둘러보면 -

꽃들의 웃음소리가 - 즐겁게들 - 려 - 요
꽃들의 웃는모습에 - 마음이밝 - 아 - 져요

해바라기는 얼굴이커서 아빠처럼하하하하 하하하
다알리아는 커다란얼굴로 아빠처럼싱 - - 글 벙 - 글

봉숭아 는얼굴이예뻐 엄마처럼호호호호 호호호
코스모 스예쁜얼굴로 엄마처럼방 - 글방 글방글

채 송화는 우리들 - 꽃 장난치듯 - 까르르 - - -
나 팔꽃은 우리들 - 꽃 춤 - 을추며 뚜뚜뚜 뚜뚜뚜

이슬

이슬기 작시
정근 작곡

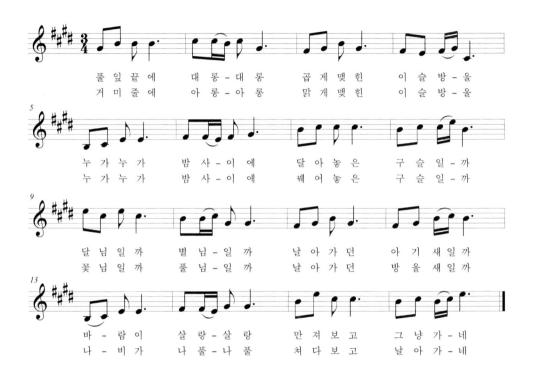

풀 잎 끝 에　대 롱 – 대 롱　곱 게 맺 힌　이 슬 방 – 울
거 미 줄 에　아 롱 – 아 롱　맑 게 맺 힌　이 슬 방 – 울

누 가 누 가　밤 사 – 이 에　달 아 놓 은　구 슬 일 – 까
누 가 누 가　밤 사 – 이 에　꿰 어 놓 은　구 슬 일 – 까

달 님 일 까　별 님 – 일 까　날 아 가 던　아 기 새 일 까
꽃 님 일 까　풀 님 – 일 까　날 아 가 던　방 울 새 일 까

바 – 람 이　살 랑 – 살 랑　만 져 보 고　그 냥 가 – 네
나 – 비 가　나 풀 – 나 풀　쳐 다 보 고　날 아 가 – 네

포도알

유성윤 작시
정근 작곡

포도 알 송이 송이 들여다 보면 흐뭇한 아빠 웃음 들 - 어 있고요

살 며 시 엄 마 웃 음 들 어 있 - 어 요 포 도 알 송 이 송 이 입 에 다 물 면

달 콤 한 아 빠 점 이 들 어 있 고 요 향 긋 한 엄 마 정 이 들 어 있 - 어 요

겨울밤

임인수 작시
정근 작곡

함 박 눈 이　소 리 없 이　내 리 는 겨 울 밤 은 에 –

할 아 버 지　이 – 야 기　옛 날 토 끼 호 랑 이 –

화 롯 가 에　모 여 앉 아　얘 기 듣 는 밤 –

할 아 버 지　이 야 기 는　얼 어 만 – 간 다 –

꽃처럼

김녹촌 작시
정근 작곡

저 꽃송이 그 어디에 숨겨 뒀다가　저렇게도 화려하게 피워 놨을까
꽃잎처럼 순결하고 거짓없는 것　이 – 세상 그 어디에 또 – 있을까

티 – 한점 이즈러짐 하나도 없이　오롯이 예쁘고 아름다운 꽃
흠 – 점도 구김살도 하나도 없이　오롯이 곱고도 향기로운 꽃

엄마야 이리와 꽃을 보아라　우리 도꽃을 보며 꽃처럼 살자
순이야 이리와 꽃을 보아라　우리 도꽃이 되어 꽃처럼 살자

봄눈

윤석중 작시
정근 작곡

내 리 며 스 러 지 며 스 러 지 며 내 - 리 며 -

봄 에 봄 에 오 는 눈 은 마 음 이 조 마 조 마 할 거 예 요

진 달 래 야 개 나 리 야 어 서 어 서 어 서 피 거 라 -

너 희 를 만 나 고 가 려 고 봄 눈 이 온 다 -

까치밥

신천희 작시
정근 작곡

나 보다더 예쁜사 람 있으면은 나와보라고 그래 (간주)

감 나 무꼭 대 기에 빨 - 간 감 하나 가뽐내 고 있 어요 (간주)

랄 라 라 라 콧노래를 부 - 르네 아빠마 - 중가 던 아기까 - 치

오늘은입술을빨갛게칠하고 나 가볼 까 - 콕코코아이쿠아파 잘난척하던빨간감은

그 - 만 땅 에떨어져 영덩방 - 아찧 고 말았다 네 -

반달회가

신천희 작시
정근 작곡

자랑스런　　　꿈나무와　　　기　쁨을 나눠 －
자라나는　　　새싹들과　　　사　랑을 나눠 －

밝고밝은　　　우리들의　　　정　성을 담아 －
밝은가슴　　　활짝열어　　　손　에손 잡고 －

2

반달회가

은 하 수 를   건 너 가 는   반 달 을 보 라 -
밤 하 늘 을   밝 혀 주 는   반 달 을 보 라 -

희 - 망 찬   내 - 일 을   찾 아 가 - 누 나 -
아 름 다 운   새 세 상 을   만 들 어 - 가 자 -

저 어 라   힘 - 차 게   노 를 저 어 라   (저 어 라)

어린이의 꿈을싣고 달려가자반 달 회 —

저작물 리스트
(한국음악저작권협회)

저작물 리스트

NO	작품번호	작품명	가사	가수	작사	작곡	편곡	앨범명	공표일
1	004000001016	5월의 노래			정근	정근		세광동요1200곡집	0000/01/01
2	001000056872	88올림픽	아 번영의 나래 위에 오색은 빛난다		정근	정근		정근동요 작품집 동무없으면	1987/05/30
3	004000001121	가랑잎			정근	정근		세광동요1200곡집	0000/01/01
4	004000001149	가위바위보		김다혜	정근	정근		유아노래1000집	1980/01/01
5	004000001237	가을운동회		최용락	정근	정근		유아노래1000집	1980/01/01
6	001000003784	가을이 온다			정근	장상덕		현대동요대전집	0000/01/01
7	004000009335	가자가자	가자가자 푸른숲으로 가자 졸졸졸	이선유	정근	정근		뮤지컬 호랑이는 호랑이	1998/05/01
8	004000001408	게으른 선비			정근	이재석	이재석		1987/01/01
9	004000009229	겨울밤	함박눈이 소리없이 내리는겨울밤	(비)임인수	정근	정근		정근동요 작품집 동무없으면	1990/12/01
10	004000009352	겨울방학	겨울방학이다 신나는방학	코마	정근	박홍수		KBS TV	0000/01/01
11	004000001471	경사났네			정근	이재석	(비)권혁순 N	KBS라디오	1987/01/02
12	004000009261	경사났네	맘씨 고운 할아버지 궁전같은		정근	이수인		혹 뗀 이야기	0000/01/01
13	004000001502	고드름	고드름 고드름 처마밑에 고드름해가		정근	정근		유아노래1000집	1980/01/01
14	004000001551	고운얼굴			정근	정근		유아노래1000집	1980/01/01
15	004000001563	고추잠자리			정근	정근		유아노래1000집	1980/01/01
16	001000005481	곶감찾아가는길(뮤지컬)			정근	이재석	이재석	KBS라디오	1985/11/01
17	004000001645	교통신호			정근	이은렬		유아노래1000집	1980/01/01
18	004000001661	구름	저멀리 하늘에 구름이 간다 외	서수남과 하청일	정근	이수인		오리지날 힛송 총결산집	1977/02/17
19	004000011944	구름		김원정	정근	이수인	론브랜튼	세광동요1200곡집	2002/04/01
20	004000001678	구름따라			정근	정근		세광동요1200곡집	0000/01/01
21	004000001726	그건 못해요			정근	이재석	이재석	노래있는 옛날이야기 슬기로운 선조들	1987/01/04
22	004001046253	그네를타자	훨훨날아보자그네를		정근	정근		정근동요 작품집 안녕안녕	2005/05/05
23	004000009333	그렇지요 대왕님	숲속나라 동물들아 다들어 보소		정근	정근		뮤지컬 호랑이는 호랑이	1998/05/01
24	004001046261	기린	기린아 기린아 너는 목이길어 좋겠다		정근	정근		정근동요 작품집 안녕안녕	2005/05/09
25	001000008578	기수가 되어라			정근	이재석	이재석	노래있는 옛날이야기 슬기로운 선조들	1987/01/04
26	004000001857	기차놀이			정근	정근		유아노래1000집	1980/01/01
27	004000009238	기차는 간다	기차는 간다 뻘리 달려라 우리가		정근	(비)서봉석	(비)서봉석	뮤지컬 폭풍속의 아이들	0000/01/01
28	004000001874	김치각두기			정근	정근		유아노래1000집	1980/01/01
29	004000009246	깍쟁이 할아버지	할아버지는 깍쟁이야 정말정말		정근	이수인		혹 뗀 이야기KBS	1990/09/01
30	004000001896	깨끗이 깨끗이			정근	정근		유아노래1000집	1980/01/01

NO	작품번호	작품명	가사	가수	작사	작곡	편곡	앨범명	공표일
				저작물 리스트					
31	004000001925	꼬마 염소			정근	정근		유아노래1000집	1980/01/01
32	004000009331	꼬부랑나라	깊은 산속 어느 곳에 꼬부랑 나라가		정근	정근		뮤지컬 호랑이는 호랑이	1998/05/01
33	004000001956	꽃가루 날리자			정근	정근		세광동요1200곡집	0000/01/01
34	004001046259	꽃들의 웃음	꽃밭에 나가 가만히 귀를기울	이슬기	정근			정근동요작품집 안녕안녕	2005/05/05
35	004000009360	꽃밭	내가 심은 꽃씨가 곱게 피었네 노랑		정근	정근		유아교사연합회지	0000/01/01
36	004000002047	꽃을 가꿉시다			정근	정근		유아노래1000집	1980/01/01
37	004000009224	꽃처럼	저 꽃송이 그 어디에 숨겨뒀다가	김녹촌	정근			정근동요 작품집 동무없으면	1989/04/01
38	004000002083	꾸러기	나는 나는 어제까지 늦잠자는		정근	박흥수		세광동요1200곡집	1982/10/20
39	004000009348	꿈속에 그리는 고향	간밤에 꾼 꿈속에서 뵈었습니다		정근	정근		정근동요 작품집 동무없으면	0000/01/01
40	004000009269	꿈은 살아있다	뭣이나도 꿈은 살아있다 튼튼한		정근	이수인	(비)서봉석	뮤지컬 폭풍속의 아이들	1989/05/01
41	004000009242	꿈의 궁전	아이아아 빛나는 궁전꿈의 궁전		정근	이수인		뮤지컬 폭풍속의 아이들	1989/05/01
42	004000009268	꿈의 궁전 찾아가자	꿈의 궁전 찾아서 가자가자 휘파람		정근	이수인	(비)서봉석	뮤지컬 폭풍속의 아이들	1989/05/01
43	004000002168	나는 싫어요		방실이	정근	정근		유아노래1000집	1980/01/01
44	004000009241	나는 용감한 산마을소년	나는 용감한 산마을 소년 꿈의 궁전		정근	이수인	(비)서봉석	뮤지컬 폭풍속의 아이들	1989/05/01
45	004000009342	나를 따르라	모두다 눈으로 봤지 대왕님과	김정식	정근	정근		뮤지컬 호랑이는 호랑이	1998/05/01
46	004000009239	나의 꿈의 궁전	붉은 태양을 바라보면 아롱아롱		정근	(비)서봉석	(비)서봉석	뮤지컬 폭풍속의 아이들	0000/01/01
47	004000009270	나의 꿈의 궁전	붉은 태양을 바라보면 아롱아롱		정근	이수인		뮤지컬 폭풍속의 아이들	1989/05/01
48	004000002266	나의 눈			(비)정유화 N	정근		유아노래1000집	1980/01/01
49	004000009329	나의 몸의 이름들	아기아기 몸에는 무엇이 있나요		정근	정근		유치원교사교재용	0000/01/01
50	004001048476	나의 하루	아침햇살 밝아오는 이른		정근	이수인		이수인 동요작곡집 어린이나라	2000/12/01
51	004000002274	나의 하루		김희연	정근	이수인		세광동요1200곡집	1982/10/20
52	004000012808	나의 하루/A DAYS WORK	START YOUR DAY	백은주	정근	이수인	김승기	세광동요1200곡집	2002/02/01
53	001000011472	낮잠			정근	정근		유아노래1000집	0000/01/01
54	001000011528	내가 그린 그림			정근	정근		유아노래1000집	0000/01/01
55	001000012096	내 딸을 찾아주오			정근	이재석	이재석	노래있는 옛날이야기 슬기로운 선조들	1987/01/04
56	004000009259	내친구	해가뜨면 새가 울일을 하면		정근	김은수 정근		혹 뗀 이야기	1996/09/01

NO	작품번호	작품명	가사	가수	작사	작곡	편곡	앨범명	공표일
								저작물 리스트	
57	004000009351	노래하는 마음	노래라 노래는 아름답고 즐거워	하수영	정근	정근		하수영-길	1977/01/01
58	004000009362	노래하는 마음	노래라 노래는 아름답고 즐거워		정근	정근		노래하는 마음 아름다운 마음 동요부르기	0000/01/01
59	004000002511	누가 먼저했나		김다혜	정근	정근		유아노래1000집	1980/01/01
60	004000002560	눈꽃			정근	정근		유아노래1000집	1980/01/01
61	004000002562	눈꽃나라			정근	정근		유아노래1000집	1980/01/01
62	004000009232	눈앞에 아롱진 마을	눈앞에 아롱진 우리마을 산마을		정근	이수인		뮤지컬 폭풍속의 아이들	1989/05/01
63	004000002616	눈이 내리면			정근	정근		유아노래1000집	1980/01/01
64	004000002623	눈이 오는데			정근	정근		유아노래1000집	0000/01/01
65	004000002665	다람쥐 유치원	다람다람다람쥐 다람쥐유치원		정근	정근			0000/01/01
66	004000009341	달콤설콤	이 피로회복제로 말할것 같으면		정근	정근		뮤지컬 호랑이는 호랑이	1998/05/01
67	004000009336	대왕님 빨리 나으소서			정근	정근		뮤지컬 호랑이는 호랑이	1998/05/01
68	004000009247	도깨비들의 노래	춤춰라 춤춰라 신나게 춤춰라		정근	이수인		모이자 노래하자 혹 뗀 이야기	1990/09/01
69	004000009260	동물들의 노래	도깨비대장 그 아름다운 노래는		정근	이수인		모이자 노래하자 혹 뗀 이야기	1996/05/01
70	004000002973	둥근달			정근	이은렬		유아노래1000집	1980/01/01
71	004000002979	둥글게둥글게			정근	이수인		유아노래1000집	1980/01/01
72	001000017567	딸은 아버지 닮는다는데			정근	이재석	이재석	노래있는 옛날이야기 슬기로운 선조들	1987/01/04
73	004000003180	말괄량이삐삐		유숙 장동일	정근	박형신	박형신		1978/04/01
74	004000003189	말을해야지			정근	이재석	이재석	선조들의 이야기	1987/01/01
75	004000003203	맛있는 꿀떡	맛있는 꿀떡꿀떡꿀떡 많이많이	왕영은 이혜민	정근	박흥수		유아노래1000집	1982/01/01
76	004000003209	망아지			정근	이은렬		유아노래1000집	1980/01/01
77	004000003244	멍멍 강아지			정근	이은렬		유아노래1000집	1980/01/01
78	004000003270	모두가 슬기롭게			정근	이재석	이재석	노래있는 옛날이야기 슬기로운 선조들	1987/01/04
79	001000019964	몸도 튼튼 마음도 튼튼	자자 여러분 나좀보세요 우리		정근	박흥수		유아노래1000집	1982/10/20
80	004000003361	무슨꽃일까			정근	이은렬		유아노래1000집	1980/01/01
81	001000100431	무엇을 주련			정근	정근		유아교사강습회	0000/01/01
82	004000009340	무엇이 어때	아니 무엇이 어쩌고 어째 숲속에		정근	정근		뮤지컬 호랑이는 호랑이	1998/05/01
83	004000003387	무엇일까요			정근	정근		유아노래1000집	1980/01/01
84	004000003457	물오리			(비)양순식	정근		유아노래1000집	1980/01/01
85	004001046260	민들레	길가에 노랗게 핀 민들레	이슬기	정근			정근동요작품집 안녕안녕	0000/01/01
86	004000003509	바다			정근	이은렬			1980/01/01
87	004001044857	바다	바다는 넓구나 푸르구나		정근	정근		정근동요작품집 안녕안녕	2005/05/01

NO	작품번호	작품명	가사	가수	작사	작곡	편곡	앨범명	공표일
88	004000003513	바다로 간다			정근	정세문			1992/10/17
89	004000003555	바람	산에 부는 바람은 장난꾸러기		정근	유병무		유아노래1000집	1973/01/01
90	004000003572	바람개비			정근	정근		세광동요1200곡집	0000/01/01
91	004001046264	바람아 불어라			정근	정근		유아노래1000집	2005/05/05
92	001000021452	바람은 장난꾸러기			정근	박흥수		유아노래1000집	1982/10/20
93	004000003588	바람이 불어라			정근	정근		정근동요작품집 안녕안녕	1980/01/01
94	004000009338	바로 이거야	하하하하하하 그러면 그렇지		정근	정근		뮤지컬 호랑이는 호랑이	1998/05/01
95	004000009358	반가운 겨울	겨울하는 눈구름 어디서 날아왔나		정근	정근		노래하는 마음 아름다운 마음 동요부르기회	0000/01/01
96	002000005326	반디반디 반딧불			정근	김규환	김규환	노래하는 마음 아름다운 마음 동요부르기회	1982/06/01
97	001000021725	발없는 말이			정근	이재석	이재석	속담풀이	1987/01/01
98	004000003449	발없는 말이			정근	이재석	이재석	속담풀이	1987/01/01
99	004000003625	발을 굴리자			정근	정근		유아노래1000집	1980/01/01
100	004001044858	밤하늘	햇님아빠 잠이든 넓은		정근	정근		정근동요작품집 안녕안녕	2005/05/01
101	004000003658	밤하늘			(비) Unknown Compose	정근		정근동요작품집 안녕안녕	0000/01/01
102	004000003663	방글방글			정근	이수인		딩동댕 7시다	0000/01/01
103	004001046255	방안의 꽃	오줌싸도 이쁘고 응아해도		(비)김용택	정근		정근동요작품집 안녕안녕	2005/05/05
104	004000009349	방학	신신신나는 방학이다 즐겁게 보내자	굴렁쇠 아이들	정근	손정우		모이자 노래하자	2003/02/01
105	004000009236	배가 고파요	배가고파요 배가고파 배고파		정근	이수인		뮤지컬 폭풍속의 아이들	1989/05/01
106	001000022262	백지장도 맞들면 낫다			정근	이재석	(비)권혁순 N	속담풀이	1987/01/02
107	001000022274	뱀에 물렸네			정근	이재석	이재석	노래있는 옛날이야기 슬기로운 선조들	1987/01/04
108	001000022276	뱁새가 황새걸음 걷다가			정근	이재석	이재석	속담풀이	1987/01/01
109	004000009350	버스여행	뛰뛰빵빵 뛰뛰빵빵 버스를 타고		정근	이수인		이수인-학생합창곡집	2004/01/01
110	004000009345	벌을 내리소서	대왕님께서 이렇게 몹시 편치		정근	정근		뮤지컬 호랑이는 호랑이	1998/05/01
111	004000003772	별들의 노래			정근	박흥수		유아노래1000집	1980/01/01
112	001000022687	병풍에 호랑이를			정근	이재석	이재석	노래있는 옛날이야기 슬기로운 선조들	1987/01/04
113	004000003825	보따리		나훈아	정근	박흥수		세광동요1200곡집	1988/03/05
114	004000009361	봄	내가 가꾼 꽃밭에 예쁜꽃이 피었네		정근	정근			0000/01/01
115	004000003915	봄눈			윤석중	정근		세광동요1200곡집	0000/01/01
116	004000003929	봄맞이가자		사공빈외 2	정근	정근		유아노래1000집	1980/01/01

NO	작품번호	작품명	가사	가수	작사	작곡	편곡	앨범명	공표일
				저작물 리스트					
117	004000003959	봄비가 온다	비가온다 봄비가 온다 산골짜		정근	이수인			0000/01/01
118	004000003981	봄오는 소리		권근영외 13	정근	정근		유아노래1000집	1980/01/01
119	004000003997	봄이 온다네			정근	정근		유아노래1000집	1980/01/01
120	004000004056	불조심			정근	정근		유아노래1000집	1980/01/01
121	004000004058	붕붕붕			정근	정근		유아노래1000집	1980/01/01
122	004001046257	붕어빵	엄마가 시장갔다 돌아오실 때		정근	정근		정근동요작품집 안녕안녕	2005/05/05
123	004000004077	비누방울			정근	이은렬		라디오동요	1980/01/01
124	004000004088	비야비야 오지마라	비야비야 오지마라 우리 성님			정근		유아노래1000집	0000/01/01
125	004000004110	빙고			정근	(비)Unknown Compose		유아노래1000집	1980/01/01
126	004000004111	빙글빙글			정근	이수인			0000/01/01
127	004000004152	삐뜰삐뜰			정근	이수인		유아노래1000집	1980/01/01
128	004000009228	삐삐	장골산 달롱개산 삐삐뽑으로 가자		김상옥	정근		정근동요 작품집 동무없으면	1989/10/01
129	004000004192	사이좋게 나눠먹자			정근	정근		유아노래1000집	0000/01/01
130	004000009347	새나라를 만들자	산좋고 물좋은 우리숲속에 평화의		정근	정근		뮤지컬 호랑이는 호랑이	1998/05/01
131	001000027666	새로사귄 좋은 친구들			정근	정근		유아노래1000집	0000/01/01
132	004000004413	새마을 주인			정근	정근		유아노래1000집	1980/01/01
133	004000004454	새아침의 요들			정근	박형신	박형신	세광동요1200곡집	1978/05/01
134	004000004531	생일축하의 노래			정근	정근		유아노래1000집	1980/01/01
135	004000004582	설			정근	이수인		유아노래1000집	1980/01/01
136	004000004619	세발자전거			(비)정유화	정근		유아노래1000집	1980/01/01
137	004000004628	세수			정근	정근	이수인	유아노래1000집	0000/01/01
138	004000008205	소낙비			정근	정근		유아노래1000집	0000/01/01
139	004000004749	손뼉을 칩시다			정근	정근			1980/01/01
140	004000004761	손을 잡고		김다혜	정근	정근		유아노래1000집	1980/01/01
141	004000004773	솜사탕	나뭇가지에 실처럼 날아든 솜사탕		정근	이수인		TV유치원하나둘셋	1983/12/01
142	004000008222	숲속의 노래	야 용감하다 로키로키 로키야		정근	이수인		세광동요1200곡집	0000/01/01
143	004000004908	슬기로운 선조들			정근	이재석	이재석		0000/01/01
144	004001046252	시소	시소시소시소놀이 재미있다		정근	정근		정근동요작품집 안녕안녕	2005/05/05
145	004000004959	시작이반			정근	이재석	이재석	속담풀이	1987/01/02
146	004000009356	신나는 이야기	야 신난다 옛날이야기 짐승들이		정근	정근			0000/01/01
147	004000005019	싱싱 지하철			정근	이은렬		유아노래1000집	1980/01/01

NO	작품번호	작품명	가사	가수	작사	작곡	편곡	앨범명	공표일
148	004000005024	싹싹 닦아라		우남익	정근	정근		유아노래1000집	1980/01/01
149	004000005043	쓰레기			(비)정유화N	정근		유아노래1000집	1980/01/01
150	001000030996	아니예요			정근	이재석	이재석		1986/06/01
151	004000009245	아니 이 밤이	아니 이밤이 왜 영감거요		정근	이수인		혹 뗀 이야기	1990/09/01
152	004000009249	아니 이 세상에서	아니 이 세상에서 이렇게 훌륭한		정근	이수인		혹 뗀 이야기	1990/09/01
153	004000005187	아름다운 눈			정근	박흥수		세광동요1200곡집	1982/10/20
154	004000009231	아름다워라 엘도라도	아름다워라 엘도라도 신비의 나라		정근	이수인		뮤지컬 폭풍속의 아이들	1989/05/01
155	004000005210	아버지 어머니			정근	정근		유아노래1000집	1980/01/01
156	001000031444	아빠 찾는 뻐꾹이			정근	이재석	이재석	노래있는 옛날이야기 슬기로운 선조들	1987/01/04
157	004000009256	아이구 내 뺨이야	아이구 내 뺨이야 혹 떼러갔다		정근	이수인		혹 뗀 이야기	1990/09/01
158	004000009266	아이들이란	어린아이들에겐 순진한 마음이		정근	이수인	(비)서봉석	뮤지컬 폭풍속의 아이들	1989/05/01
159	004000005310	안녕 안녕			정근	정근		유아노래1000집	1980/01/01
160	004000008262	안녕히 안녕			정근	정근		세광동요1200곡집	0000/01/01
161	002000003359	안녕히 안녕(연주곡)			(비)Unknown Compose	정근	김규환	세광동요1200곡집	1986/05/01
162	004000005319	안마를 합시다			정근	정근		유아노래1000집	2000/11/15
163	004000005347	앞으로 앞으로			정근	정근		유아노래1000집	1980/01/01
164	004000005351	애기체조	짤랑짤랑 짤랑 으쓱으쓱 짤랑		정근	이수인		세광동요1200곡집	0000/01/01
165	004000005417	어디서 잘까			정근	정근		유아노래1000집	1980/01/01
166	004000005418	어디서 찾아올까			정근	박흥수		유아노래1000집	1980/01/01
167	004000005423	어떡하면 좋을까요			정근	박흥수		유아노래1000집	1980/01/01
168	004000009339	어떻면 좋을까	대왕님 병환은 날로 더해가는데		정근	정근		뮤지컬 호랑이는 호랑이	1998/05/01
169	004000009337	어서 일어나소서	깊은산 바위틈에 귀한 약물 뜯어다가		정근	정근		뮤지컬 호랑이는 호랑이	1998/05/01
170	004000005521	어슬렁 어슬렁			정근	이재석	이재석	호랑이와 꽃감	1985/11/01
171	004000009343	어찌하오리까	대왕님 병환을 어찌하오리까 산을		정근	정근		뮤지컬 호랑이는 호랑이	1998/05/01
172	004000009255	여기도 노래주머니	여기도 노래주머니 혹이었는데		정근	이수인		혹 뗀 이야기	1990/09/01
173	004000005636	여름날			정근	정근		유아노래1000집	1980/01/01
174	004000009353	여름방학	여름방학이다 신나는방학	노래친구들	정근	박흥수		방학특집 모이자 노래하자	2001/04/01
175	004000009252	여봐라	여봐라 이 물렁물렁한 혹에서 무슨		정근	이수인		혹 뗀 이야기	1990/09/01
176	004000009227	여우비	땡볕 나는데 오는 비 여우비 시집	임창정	박목월	정근		정근동요 작품집 동무없으면	1989/04/01

NO	작품번호	작품명	가사	가수	작사	작곡	편곡	앨범명	공표일
								저작물 리스트	
177	004000009346	여우의 간	과연 그 늑대는 귀신같은		정근	정근		뮤지컬 호랑이는 호랑이	0000/01/01
178	004000005751	예쁜 손			(비)정유화 N	정근		유아노래1000집	1980/01/01
179	004000005752	예쁜 손과 깨끗이			정근	정근		유아노래1000집	1980/01/01
180	004000005766	옛날옛날에			정근	이재석	이재석	노래있는 옛날이야기 슬기로운 선조들	1985/11/01
181	004000009264	옛날옛적	옛날옛적 선조들이 험한 산을		정근	(비)서봉서		뮤지컬 폭풍속의 아이들	1989/05/01
182	004000009355	옛날이야기 들려주세요	보따리 이야기 보따리 할아버지		정근	정근			0000/01/01
183	004000009237	오고가는 마음	우리서로 손과 손을 마주잡으면		정근	이수인		뮤지컬 폭풍속의 아이들	0000/01/01
184	004000005805	거위들의 학교			정근	이은렬		유아노래1000집	1980/01/01
185	004001046263	오솔길	피리리 풀피리소리 살며시		정근	(비)나동순		정근동요작품집 안녕안녕	2005/05/09
186	004000005819	오솔길			정근	(비)나동순 N		세광동요1200곡집	0000/01/01
187	100002332951	온에어(ON AIR)	텔레비전에 내가 나왔으면좋겠네	위걸스	이상강, 이상, 정근, 서로, 장성환	정근, 서로, 장성환		온에어(ON AIR)	2018/08/31
188	004000009225	외가집	외가집은 산넘어 늘어진길		김상옥	정근		정근동요 작품집 동무없으면	0000/01/01
189	004000005965	우는 소리			정근	(비)나동순		유아노래1000집	1980/01/01
190	004000006015	우리는 즐겁다			정근	(비)유병무		세광동요1200곡집	0000/01/01
191	004000009354	우리모두 나가자	지구촌 어린이가 손을 함께 잡으면		정근	정근			0000/01/01
192	004000006075	우리모두 흉내내보자			정근	박흥수		유아노래1000집	1980/01/01
193	004000006088	우리 선생님			정근	(비) Unknown Compose		유아노래1000집	1980/01/01
194	004001046254	우리 아빠 시골갔다 오시면	우리아빠 시골갔다 오시면 시골이		(비)김용택	정근		정근동요작품집 안녕안녕	0000/01/01
195	004001046256	우리엄마 얼굴	우리엄마 얼굴은 빙그레얼굴		정근	정근		정근동요작품집 안녕안녕	2005/05/05
196	004000006148	우리 즐겁다			정근	(비)유병무		세광동요1200곡집	0000/01/01
197	004000009240	우리 힘으로	우리힘으로 마을을 세우자		정근	이수인		뮤지컬 폭풍속의 아이들	1989/05/01
198	004000009234	우리 힘으로 우리 손으로	우리힘으로 우리손으로 마을을		정근	(비)서봉석	(비)서봉석	뮤지컬 폭풍속의 아이들	1989/05/01
199	004001047283	우체부 아저씨	아저씨 아저씨 우체부 아저씨	합창단	(비) Unknown Compose	정근	최병일	KBS TV유치원	2006/05/01
200	004000008335	우체부 아저씨	아저씨 아저씨 우체부 아저씨		정근	정근		정근동요 작품집 동무없으면	0000/01/01
201	002000003643	우체부아저씨(연주곡)			(비) Unknown Compose	정근	김규환	유아노래1000집	1986/05/01

NO	작품번호	작품명	가사	가수	작사	작곡	편곡	앨범명	공표일
								저작물 리스트	
202	004000008338	웃는 얼굴	부글부글부글 보글보글보글		정근	이수인			1978/01/01
203	004000006248	웃어보세요			정근	박홍수		유아노래1000집	1980/01/01
204	004000009230	은행나무	은행나무는 해님 나무 가을이면		(비)이상교	정근			0000/01/01
205	004000009334	이것은 충성이 아니오			정근	정근		뮤지컬 호랑이는 호랑이	1998/05/01
206	001000037701	이 낭자가 딸이오			정근	이재석	이재석	노래있는 옛날이야기 슬기로운 선조들	1987/01/04
207	004000006378	이상한 나라			정근	박홍수		유아노래1000집	1980/01/01
208	004001046258	이슬	풀잎끝에 대롱대롱 곱게 맺힌		이슬기	정근		정근동요작품집 안녕안녕	0000/01/01
209	004000009357	이야기 이야기 고맙습니다	즐겁고 재미나는 옛날이야기 신나게		정근	정근			0000/01/01
210	004000009344	이제는 끝장이다	얼사얼사 좋구나 얼시구 절시구		정근	정근		뮤지컬 호랑이는 호랑이	1998/05/01
211	004000009332	이 칡으로 말할것 같으면	이 칡으로 말할것 같으면 옛날옛날		정근	정근		뮤지컬 호랑이는 호랑이	1998/05/01
212	004000009254	이 혹으로 말할것 같으면	이 혹으로 말할 것 같으면 가락은		정근	이수인		혹 땐 이야기	1990/09/01
213	004000006450	일년			정근	정근		유아노래1000집	1980/01/01
214	001000040305	자연의 숨결			정근	장상덕		현대동요대전집	0000/01/01
215	004000006510	자장가(뮤지컬)			정근	이재석	이재석		1985/11/01
216	004000006523	자장자장			정근	정근		유아노래1000집	1980/01/01
217	004000009258	잠이드누나	젓빛 노을 붉으레 서신에 지고		정근	이수인		혹 땐 이야기	1990/09/01
218	001000041959	좋은 버릇기르자			정근	이재석	이재석		1987/01/02
219	004000006775	줄넘기			정근	정근		유아노래1000집	1980/01/01
220	004000006797	즐거운설날	설설설 즐거운 설날 동네방네 뛰다	채희연외 6	정근	정근		유아노래1000집	1980/01/01
221	002000004013	즐거운 우리집			정근	이재석		유아노래1000집	0000/01/01
222	004000009359	즐거운 유치원	토끼처럼 깡총깡총 뛰어보자 신나게		정근	정근			0000/01/01
223	004000006833	지성이면 감천		YARN	정근	이재석	이재석		1987/01/02
224	004000009226	집배원 아저씨	아침이 밝아온다 까치가운다		정근	손정우			1988/10/01
225	004000006849	집배원 아저씨	아저씨 아저씨 우체부 아저씨		정근	정근			1988/10/01
226	004000006875	짤랑짤랑		우남익	정근	이수인		유아노래1000집	1978/01/01
227	004000006882	쭈루루 미끄럼			정근	정근		유아노래1000집	1980/01/01
228	004000006887	차우차우차우			(비)이통익	정근		유아노래1000집	1980/01/01
229	004000006990	청소합시다			정근	정근		유아노래1000집	1980/01/01
230	004000006993	체조놀이		김다혜	정근	박형신	박형신	유아노래1000집	1979/03/01
231	002000004153	추석달	팔월이라 한가위는 추석다져	전영희 한국민요	정근	이은렬		세광동요1200곡집	1995/03/01

NO	작품번호	작품명	가사	가수	작사	작곡	편곡	앨범명	공표일
232	004000007021	추수			정근	이수인		유아노래1000집	1980/01/01
233	004000009330	축제의 노래	덩기덩기 오늘은 호랑이의 생일날		정근	정근		뮤지컬 호랑이는 호랑이	1998/05/01
234	002000004176	춤을 추는 갈매기	흰물결이 밀려오는 바닷가에		정근	이수인		세광동요1200곡집	0000/01/01
235	002000004177	춤추는 갈매기	흰물결이 밀려오는 바닷가에	양성은	정근	이수인		6학년 교과음악	1997/02/01
236	004001048579	춤추는 갈매기	흰물결이 밀려오는 바닷가에		정근	이수인		이수인 동요작곡집 어린이나라	2000/12/01
237	004000007059	칙칙폭폭		채희연외6	정근	정근		유아노래1000집	1980/01/01
238	004000007078	침을 뱉지 맙시다			정근	정근		유아노래1000집	1980/01/01
239	004000007080	카라멜		코스모스	정근	정근		유아노래1000집	1980/01/01
240	002000004237	텔레비전에(연주곡)			(비)Unknown Compose	정근	김규환		1986/05/01
241	004000008392	텔레비전	텔레비전에 내가 나왔으면 정말좋겠네	우남익	정근	정근		유아노래1000집	0000/01/01
242	004000008393	텔레비전 어린이			정근	이수인		세광동요1200곡집	0000/01/01
243	004000007177	토마토	토마토는요 빨갛구요 정말로 정말로		정근	정근		유아노래1000집	1980/01/01
244	004000009235	투표의노래	우리들의 대표자를 정하자		정근	이수인	(비)서봉석	뮤지컬 폭풍속의 아이들	1989/05/01
245	004000007196	튼튼한다리			정근	정근		유아노래1000집	1980/01/01
246	004000007197	튼튼한몸			정근	정근		유아노래1000집	1980/01/01
247	004000007223	파리		조병화	정근	이수인		유아노래1000집	1980/01/01
248	004001046262	펭귄	뒤뚱뒤뚱 얼음나라펭귄		정근	정근		정근동요작품집 안녕안녕	2005/05/09
249	004000009265	폭풍우가 온다면	저 먹구름이 몰려와 비바람이		정근	이수인	(비)서봉석	뮤지컬 폭풍속의 아이들	1989/05/01
250	004000009267	푸른숲속에	푸른숲속에 오색빛이 빛나고		정근	이수인	(비)서봉석	뮤지컬 폭풍속의 아이들	1989/05/01
251	004000007308	풀피리			정근	이은렬		세광동요1200곡집	1976/01/01
252	004001046265	하늘	파란하늘 쓸어가며 참새가		이슬기	정근		정근동요작품집 안녕안녕	2005/05/05
253	001000046659	한가위			정근	이은렬		유아노래1000집	0000/01/01
254	004000009248	한가위 보름달	두밤만 자면 한가위 보름달이 떠오		정근	이수인		모이자 노래하자 추석특집	1990/09/01
255	001000046715	한겨울의 딸기			정근	이재석	이재석	노래있는 옛날이야기 슬기로운 선조들	1987/01/04
256	004000009223	한약방 할아버지	사슴뿔에 돋는 달빛이 할아버지		(비)이서인	정근			1988/02/01
257	004000009243	한 옛날에	옛날옛날 맘씨곱고 부지런한		정근	이수인		옛날이야기 타이틀	1990/09/01
258	004000009262	할아버지 경사났네	경사났네 우리동네 우리동네 경사		정근	김은수		혹 뗀 이야기	1996/09/01

NO	작품번호	작품명	가사	가수	작사	작곡	편곡	앨범명	공표일
								저작물 리스트	
259	004000009244	할아버지는 멋쟁이	할아버지는 멋쟁이야 정말정말		정근	이수인		혹 뗀 이야기	1990/09/01
260	004000009251	할아버지 착한 마음	할아버지 착한마음 산새들도		정근	이수인		혹 뗀 이야기	1990/09/01
261	004000009257	해가 뜨면	해가뜨면 해가지고 노래하면		정근	이수인		혹 뗀 이야기	1990/09/01
262	001000047649	헌혈의 노래	한방울의 내 피로 귀한 생명	이학승	정근	이재석	이재석	공모당선	1984/09/01
263	001000047839	호랑이를 몰아내주시오			정근	이재석	이재석	노래있는 옛날이야기 슬기로운 선조들	1987/01/04
264	001000047840	호랑이와 곶감			정근	이재석	이재석		1985/11/01
265	004000009253	혹보의 노래	혹혹혹 혹만 있으면 돼 돈주고도		정근	이수인		혹 뗀 이야기	1990/09/01
266	004000009250	혹 떨어졌네	떨어졌네 내 턱에 혹 떨어졌네		정근	이수인		혹 떨어졌네	0000/01/01
267	004000009263	휘나래	이세상엔 사람들도 많이 살지만		정근	이수인		혹 뗀 이야기	0000/01/01
268	004000007674	흔들흔들(뮤지컬)			정근	이재석	이재석	슬기로운 선조들	1985/11/01
269	004000009233	희망을 가져보자	우리서로 다정하게 마음과 마음을		정근	(비)서봉석	(비)서봉석	뮤지컬 폭풍속의 아이들	1989/05/01

정근의 동요와
어린이문화운동

정근의 동요와 어린이문화운동[1]

정철훈(시인 · 한국근대문화연구소 대표)

동요작가 정근

1. 들어가며

우리 동요가 탄생한 배경엔 여러 가지 요인들이 복합적으로 작용하고 있다. 그 중에서도 두드러진 것은 일제 강점기에 어린이문화운동을 선도적으로 이끈 천도교 소년회의 활동이었다. 천도교 소년회의 방정환을 주축으로 한 '색동회'가 잡지 『어린이』를

---

1) 2021년 6월, 〈광주문화재단〉이 주관한 제1회 '광주학 콜로키움'에서 발표한 발제문을 재수록했다.

창간하고 어린이운동을 주도하면서 우리 창작동요가 탄생하게 되었다. 동요는 일제 교육제도의 강제적인 이식에 대한 저항적 측면과 창가 및 개화 가사, 기독교 찬송가 등의 영향 아래 문학의 한 장르로 자리매김되었다. 이후 동요는 민족운동 성격의 동요 운동으로 전개되었다.[2]

광주전남지역 출신의 작가들도 전국적으로 전개된 동요 운동에 참여하였다. 시인 김태오와 목일신과 조종현 등이 그들이다. 이들은 광주전남 아동문단의 1세대였다. 김태오는 소년운동의 실천으로 동요를 쓰면서 동요창작법을 제시하였고, 목일신은 항일운동 차원에서 동요를 썼으며, 조종현은 불심의 한 방편으로 동요를 창작하였다. 또한 정태병은 조선의 동요를 집대성하여 1세대 작가들의 성과를 확산하면서 동요동시문단의 발전에 기여하였다.

광주전남 아동문단의 2세대들은 1950년대에 등장하였다. 전후(戰後)의 아픈 동심을 어루만져주기 위한 노력이 그 출발점이었다. 여운교와 김일로는 상처받은 동심의 회복에 힘썼고, 김신철은 평생을 아동문학의 발전에 헌신하면서 전남아동문학회를 조직해 아동문학가들의 역량을 문학적 성과로 드러냈다. 고재승은 동요집 한 권을 남겼을 뿐이지만 2세대 동요작가로서의 한 자리를 확보하였다. 허연은 시인으로서뿐만 아니라 지방 언론사의 문화부장으로 활동하면서 동요동시문단의 형성과 발전에 힘을 보탰다.[3]

이들과 더불어 1950년대 광주전남에서 활동한 또 한 명의 동요 작곡가가 광주 출신의 정근이다. 1세대 동요 작가들이 일제 강점기를 거치면서 노래를 잊고 산 어린이들에게 민족 정서를 환기하는 민족운동 차원에서 동요를 작사 작곡했다면 2세대 동요 작가들은 6·25 전쟁 직후 폐허와 허무에 빠진 동심 회복을 위해 동요를 지었다.

---

2) 이동순, 1920~30년대 동요운동의 전개양상, 『한국문학이론과비평』 53집, 한국문학이론과비평학회, 2011.

3) 김태오, 「소년운동의 당면과제(4)」, 조선일보, 1928. 2. 12. 이동순, 「광주전남 근현대 시문단의 형성기 연구2-동요 동시를 중심으로」, 『현대문학이론연구 57권0호』 현대문학이론학회, 2014. 6.

이들의 동요는 방송을 통해 본격적으로 보급되었다. 그 선두에 KBS 방송동요가 있었다. 전쟁으로 파괴된 건물을 재건하는 일만큼이나 전쟁으로 인해 상처받은 어린이의 마음을 치유하고 위로하는 일이 시급했다. 무엇보다 내일의 희망인 어린이의 마음을 위무하고 인성 교육적 차원에서 시대에 맞는 새로운 동요가 필요했다. 정근은 방송동요의 개척자 가운데 한 사람이다. 정근에게 동요는 어떤 것인지를 설명하기 위해 그가 동요를 창작하게 된 배경을 살펴보기로 한다.

2. 정근의 생애와 동요창작 배경

정근(鄭槿)은 1930년 11월 21일 광주시 남구 양림동 210번지에서 5남매 가운데 막내로 태어났다. 부친은 한학자이자 시인인 하동 정(鄭)씨 순극(淳極), 모친은 온양 정(鄭)씨 참이(參二)이다.

위로 월북 영화감독 준채(準采·1917~1980)와 카자흐스탄 작곡가 추(楸·1923~2013), 목포상고 출신의 번역가 권(權·1925~1950), 그리고 누이 경희(瓊姬·1921~2011)가 있다.

정근 일가족(왼쪽 뒷줄 한 사람 건너 맏형 준채,
어머니 정참이, 아버지 정순극, 누나 경희
– 앞줄 왼쪽부터 둘째 형 추, 셋째 형 권, 근

1937년 양림유치원 제8회 졸업식 사진
(가운데 줄 맨 왼쪽이 정근)

정근은 1936년 광주 양림교회 부설 양림유치원(8회 졸업)을 다녔고 1937년 광주 서석공립보통학교에 입학했다. 태평양전쟁 발발로 서석학교 5학년 때인 1942년 부모를 따라 고향인 전남 곡성군 오산면 봉동리로 이사했고 2년 후 다시 광주로 나와 광주서중(5년제)을 다녔다. 하지만 해방 직후 세 형들이 입북하는 어수선한 분위기 속에서 극우 학생들의 등교 방해와 폭력으로 광주서중을 졸업하지 못한 채 전쟁의 참화를 겪었다. 고향에 잠시 피난 가 있던 1951년 인민군이 퇴각함에 따라 다시 광주로 올라왔으나 월북 가족으로 낙인찍혀 경찰에 체포되었고 무지막지한 고문 끝에 광주형무소에 수감되었다.

수감 두 달 후 재판이 열렸고 다행히 변호사의 변론으로 풀려났으나 연좌제의 늪에서 빠져나올 길은 막막했다. 당시 정근은 전시연합대학인 경북대 사범대에 재학하고 있었으나 반탁전국학생연맹 학생들의 준동으로 2학년을 수료한 채 학업을 중단할 수밖에 없었다.

학교(대구사범대)에 갔다. 부산 피난에서 돌아온 학생은 경찰관이 되어 있었다. 그리고 군에 갔다 온 학생, 광주에 남아 있었던 사람 등 세 가지 유형이 다 달랐다. 부산 피난에서 돌아온 학생은 소위 사법권을 쥐고 순경에서 경위까지 가지각색이었으나 권력을 휘둘러 선생들도 꼼짝 못 하는 형편이었다. 그리고 군에서 돌아온 학생은 두서넛. 그들은 부산 학생과 섞여 놀았다. 그리고 피난을 못 간 학생은 화제가 없고 "피난 못 간 죄로" 기가 죽을 수밖에 없었다. 부산 학생들은 수근댔다. 눈치에 틀림없이 이들 중에 나에 대해 조작한 학생이 있는 것 같은 인상을 받았다. 비하하는 학생도 있었다. 학교가 아니라 바늘방석 같았다. 그러자 2학년 말이 다 되어 가는 형편에 형식상 졸업시험을 본다고 했다. 졸업이라도 해야지, 하고 시험 첫날, 졸업시험을 치렀으나 공갈 협박을 받았다. 나는 포기할 수밖에 없었다. 직원회의 때 부산 학생들의 고발로 경찰에 연행되었던 사람은 무조건 졸업을 할 수 없다는 것이었다. 이 학교 아니면 학교를 못 다니겠나. 이튿날부터 등교를 하지 않았다. 이로써 나는 졸업장을 못 받고 말았다.[4]

광주로 돌아온 정근은 비관한 나머지 스스로 목숨을 끊으려고 충장로의 한 골목길에서 허벅지 정맥을 끊어 자살을 시도했다. 솟구치는 피는 하수구로 흘렀고 정신은 아득해졌다. 다행히 행인에게 발견되어 '현덕신의원'으로 옮겨졌고 치료를 받고 극적으로 살아날 수 있었다.

현덕신과의 인연 – 광주 신생보육원 교사 시절

황해도 해주 출신으로 동경여자의학전문학교를 졸업한 현덕신(1896~1963)은 1919년 동경에서 2·8독립선언을 주도한 광주 출신의 유학생 최원순(1896~1936)과 1923년 결혼하고 서울 동대문부인병원에서 근무하면서 근우회에 참여하는 등 여성운동에 앞장섰다. 그러다 동아일보 기자로 활동하던 남편 최원순이 1926년 동아일보 '횡설수설' 코너에 기고한 「총독정치는 악당 정치」라는 글로 필화사건에 휘말려 감옥에 수감되었고 3개월 복역 후 고문에 의한 폐결핵으로 석방된 후 고향인 광주로 내려왔다. 남편을 따라 광주에 온 현덕신은 1927년 현덕신의원을 개업한 광주 최초의 여의사였다. 병고에 시달리던 지역 여성과 임산부들에게 그의 개업은 큰 도움이 되었다. 지역 유지 가운데 정수태는 광주 동구 남동 40번지 도로변에 3백여 평의 땅을 제공했고, 현준호(호남은행 창립자)는 입원실을 갖춘 건물을 지을 수 있도록 자금을 융자해주었으며

---

4) 정근 전집 2권(미발간)

정상호(대상대학 설립자)는 의료장비와 의약품을 제공했다.[5] 정상호는 광주 부호 정낙교의 둘째 아들이자 정근의 둘째 외삼촌이었다.

신생보육학교 전경과
교장 현덕신(오른쪽 원),
신생유치원장 최상옥(왼쪽 원)

일제 강점기인 1910년대에 광주 최초의 근대학교인 광주공립보통학교(현 서석초등학교) 출신들이 광주 사회운동을 주도했다. 이들은 1910년대 초부터 동창회를 조직하여 사상적으로 민족 감정을 부흥시키며 강습회와 토론회를 개최하고 여러 체육활동을 벌이며 청년운동의 구심점을 형성하는 데 중요한 역할을 했다. 1917년 광주공립보통학교 졸업생 동창회 지육부(智育部)가 주관[6]하여 광주 동구 불로동의 옛 측량학교 자리(현 광주 동구 서석로 10번지)에 있던 광주공립보통학교 졸업생 동창회관[7]에

5) 「광주 최초의 여성 의사, 그리고 여성운동가 현덕신」, 『동구의 인물1』, 116쪽, 광주광역시 동구. 2020.
6) 『동아일보』, 1926.10.1, 『동구의 인물1』, 〈최한영 편〉 광주광역시 동구청, 2020, 125쪽 재인용.
7) 『동아일보』 1926년 10월 1일 '그간의 사회운동에 대해 기술한 기사'에 따르면 광주공립보통학교 동창회에 대한 설명과 함께 '동창회관에 신문잡지종람소를 설치하였다고 기록되어 있다.

'신문잡지종람소(新聞雜誌縱覽所)'를 설치했다. 그곳은 사직공원 초입에 양파정을 건립한 정낙교 소유의 건물이었다.[8]

신문잡지종람소는 단순히 신문과 잡지를 함께 보기 위한 곳은 아니었다.[9] 이들은 신문·잡지를 윤독하고 역사 공부도 하였으며, 일제 강점기의 정치나 사회상황에 대해 열띤 토론을 하였다. 유명 인사들을 초청하여 세계정세에 대한 강연을 들었으며, 광주 출신으로 서울·일본 등지로 유학 간 학생들과의 접촉을 통해 국내·외 소식을 수시로 접하고 있었다.

회원은 정낙교의 아들 정상호(鄭尙好), 일본 유학생 김복수(金福洙), 경성 유학생 박팔준(朴八俊), 광주농업학교에 다니던 김용규(金容圭), 한길상(韓吉祥), 최한영(崔漢永), 그리고 강석봉(姜錫峰), 김태열(金泰烈), 강생기(姜生基) 등이었다.[10] 이들은 광주보통학교(서석학교) 및 광주농업학교(농교)를 졸업했거나 재학 중인 20대 청년으로 당대의 지식인 집단이었다.[11]

정근은 외삼촌 정상호를 통해 현덕신 집안과 교류하였다. 현덕신은 1949년 10월 3일 남동에 위치한 현덕신병원 내에 신생유치원을 개원하였다.[12] 이후 1950년 6·25 전쟁 당시 나주군 남평면으로 피난을 갔다가 전쟁고아의 참상을 지켜보고 돌아와 신생유치원 내에 신생보육학교를 설립했다. 신생보육학교는 유아교육교사 및 전쟁고아

---

8) 박수진, 「광주 3·1운동 주역 '애국계몽 독서모임 학생들'」, 『전남일보』, 2019.02.17.

9) 노성태, 「광주 3·1운동의 재구성·판결문을 중심으로'」, 『광주·전남 3·1혁명의 재평가 학술세미나 자료집』, 2019.2

10) 최한영, 「비밀결사 '신문잡지종람소'」, 《신동아》, 1965년 3월호

11) 최한영, 앞의 글.

12) 신생유치원의 설립일자에 대해 1948년으로 기록된 자료가 많으나, 『동광신문』 1949년 9월 14일자 기사에 따르면 10월 3일 설립예정으로 소개하고 있다. 또한 위치는 자택이자 병원인 남동 40번지 옆으로 소개되어 있다. 광주광역시교육청 자료에 따르면, 이 유치원을 아들인 최상옥씨가 물려받아 1954년 4월 3일에 '신생보육학교'라 이름 지어 운영하였다. 1978년 2월 28일 폐교되었다.

들을 돌볼 사회복지요원을 양성하던 교육기관이었다. 현덕신은 자신의 치료를 받고 회복한 정근에게 신생보육학교를 운영하던 아들 최상옥을 소개했다.

정근은 광주서중 선배인 최상옥을 도와 신생보육학교에 근무하는 동시에 신생유치원 교사가 되었다. 이때부터 정근은 어린이문화운동에 뛰어들어 전쟁의 시달림 속에서 상처받은 어린이의 동심을 회복하고 미래의 희망을 주기 위해 동요를 작사 작곡하기 시작했다.

나는 전쟁의 시달림 속에서 어린이를 좋아하게 되었다. 지금은 없어지고 말았지만 사범학교처럼 광주의 유치원 교사양성기관인 신생보육학교에 근무하면서 어린이 교육을 위해 필요한 노랫말을 쓰고 작곡도 하였다.

나는 전문인처럼 고집을 가지기보다는 유치원 어린이와 함께 생활하면서 아이들이 짧은 말로 대화하고 많은 것을 생각하는 새로운 경지를 발견할 수 있었다. 언어로는 다 표현하지 못해도 6세면 2000단어쯤 이해한다고 한다. 말도 다 알아듣지만 특유의 유아 어휘가 있어 아이들은 말하기 쉽게 문장으로 만들어 쓴다. 귀찮은 토씨는 다 생략하고 주어와 동사만으로 말을 시작한다. 이렇게 자라난 아이들이 연극을 하고 언어를 감각적으로 이해하는 직관적 감성의 대화 속에 모든 것을 말로 하였다. 나는 여기서 유아어를 고르고 그들이 보다 쉽게 받아들이는 반응을 보면서 노랫말과 동시를 지었다.[13]

연좌제의 피해자였던 정근은 본능적으로 약육강식의 논리가 지배하는 어른들의 세계를 피해 어린이 교육에 투신했다. 또한 이 시기의 그는 어린 시절의 막연한 꿈인

---

13) 정근 전집 2권(미발간)

무용가로서의 자질을 개척하기 시작했다. 맏형 준채의 니혼대학 동창생 가운데 발레리노가 된 백성규의 무대 공연 사진을 익히 보고 자란 정근은 남몰래 발레리노의 꿈을 키워가고 있었다.

백성규(1919~2013)는 전북 익산 출신으로 휘문고보를 졸업하고 연희전문학교 재학 중 일본 도쿄로 건너가 엘레나 파블로바 문하에서 발레를 배웠다. 일본에 귀화해 시마다 히로시로 개명한 그는 '핫도리시마다발레단'을 창단, 일본 발레 부흥에 기여했으며 프랑스 파리에 진출해 이름을 떨치기도 했다.[14]

무용가 시절

광주에 근대무용이 들어온 것은 1930년대 조택원(趙澤元), 1940년대 최승희(崔承喜)의 순회공연이었다. 1937년 조택원의 일본인 스승인 이시이바쿠(石井漠)가 제자들과 함께 순회공연차 광주를 찾은 데 이어 1939년 조택원은 광주극장에서 「밀레의 만종」 등의 창작품을 공연했다. 이어 1942년 '최승희무용단'이 고전무용의 현란한 무대를 펼침으로써 관중들을 매료시켰다.

어린 시절, 형들과 함께 관람한 최승희 무용단의 공연은 정근에게 매우 깊은 인상을 심어주었다. 해방 직후인 1945년 11월, 독립촉성애국부인회 후원으로 광주동방극장에서 열린 광주 출신 무용가 최진의 무용발표회에서 「다뉴브강」 「봉선화」 「추풍무」 등의 작품을 관람한 정근은 무용가로서의 꿈을 키워나갔다.[15]

---

14) 백성규가 1946년 기획하고 출연한 '백조의 호수'는 일본 발레 역사 최초의 전막 공연이었다. 그는 한국 발레의 기틀을 다진 임성남 초대 국립발레단장의 스승이며 1980년대에 재일교포 무용가 최태지를 한국 무용계에 천거하기도 했다. 한일 무용 교류의 가교역할을 했다는 평가를 받는다.

15) 박종채(광주서중 26회 · 전 전남매일 기자), 「광주 개화 70년」, 《전남매일》 1966.(추정) 기획연재물, 일자 미상.

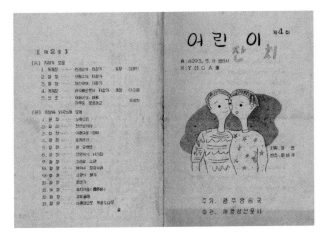

광주방송 주최 어린이잔치
(정근 지휘 · 광주YWCA 1960. 5. 8)

최진은 일본에서 무용가 가네마키(印牧秀雄)에게 사사하며 무용 팬클럽 활동과 전문 잡지『국민무용』에 관여하며 활발한 활동을 벌였으며 최진의 지도를 받은 제자 조용자가 발표회를 가졌다. 이어 광주여중 교사였던 이경자가 고전무용을 비롯한 나름의 독자적인 예술세계를 선보였다. 중국 하얼빈에서 백계 러시아인에게 발레를 배운 뒤 귀국해 조선대학에서 무용을 지도하던 옥파일은 광주에 고전발레를 소개했다. 당시 정근은 친구인 광주여고 교사 정병호와 함께 방과 후 신생보육학교에 마련한 무용연습실에서 옥파일 등에게 무용 교습을 받고 창작무용발표회를 통해 무용가로서 데뷔한다.[16]

신생보육학교는 예능교육을 위주로 1년에 한 번씩 연극제를 하였다. 마침 서울대 음대에 다니는 친구도 함께 있었는데, 김용호 작 · 송해섭 작곡 · 위창혁 지도 · 정근 연출로 성대한 연극제를 하였다. 이것은 유명한 행사가 되었다. 이때 광주사범대 부속 초등학교 교감인 장병창 선생이 교육 세미나마다 열심히 다니던 나에게 광주사범

---

16) 위와 같음.

대학 후원회와 교육대학 추진위원회를 주축으로 유치원을 설립하는 데 교사로 추천하겠다고 말했다. 마침 친구인 무용가 정병호가 자기와 함께 무용을 하자고 권했다. 평소에 나는 큰 형님은 영화감독, 둘째 형은 음악가, 셋째 형은 번역문학가가 되었으니 나는 무용가가 되고 싶었다. 마침 보육학교를 무용연구소 연습장소로 빌렸다며 오후 시간에 같이 뛰자고 권하여 용기를 내어 시작하였다.

무용연구소는 날로 발전하였다. 제1회 창작무용발표회를 광주극장에서 가졌다. 여름방학 때 무용 강습회를 하는데 중앙초등학교 교사인 이은렬을 만났다. 그는 피아노는 자기가 맡아 연주할 테니 연습하는데 음악 걱정은 하지 말라고 했다. 자신의 동생에게 무용을 가르치기 위해 무용연구소를 찾은 이은렬은 즉각 무용단에 들어와 이때부터 연주자가 되었다. 그는 리드미컬한 즉흥곡을 연주하였고 무용단은 새로운 계기를 마련하였다. 발표회는 착착 준비되었다. 광주여고 무용반과 기성인 8인, 남자 세 사람, 이렇게 20여 명이 모였다.

나는 안무가의 꿈을 꾸면서 발표회를 마쳤다. 신문에도 소개되었고 처음 보는 남자 무용수였기에 인기도 있었다. 내가 춤을 춘 「청룡황룡」은 즉흥무였는데 남자의 힘찬 모습을 용으로 상징하였고 「세 인디언」이라는 이색적인 무용은 박수를 많이 받았다.[17]

1954년 박학수·오장현·송준영·김정자 등과 함께 공연한 무용 발표회에서 정근은 오장현과 함께 2인 무용 「황룡흑룡」, 그리고 1인 무용 「밤의 요정」을 공연했다.[18] 「밤의 요정」은 배경음악 없이 밤에만 나타나는 동물 소리나 목탁 소리 등의 효과음만으로 극적 분위기를 연출하는 새로운 시도로 현대무용의 가능성을 가늠해 본 무대였다.

---

17) 정근 전집 2권(미발간)
18) 박종채, 위와 같음.

광주방송 새로나소녀합창단 지휘자 시절

새로나소녀합창단 공연 모습(정근 지휘 · 1950년대 후반 추정)

1955년 KBS 어린이합창단은 한용희의 지휘로 목포 · 광주 · 전주 · 이리 · 군산 · 변산 등을 순회한 데 이어 1956년 부산 · 대구 · 대전 · 인천에서 순회 공연을 했다. 방송으로만 듣던 KBS 어린이합창단의 지방순회공연은 지방의 어린이합창운동에 자극을 주는 계기가 되어 지방 곳곳에 방송어린이합창단의 창설을 보게 되었다.

새로나소녀합창단의 광주YWCA 공연 팸플릿(1962. 11. 30)

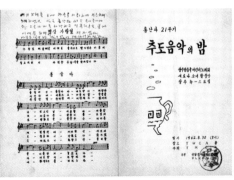

새로나소녀합창단의 홍난파 추도음악회(정근 지휘 · 1962. 8. 30)

1956년 1월, 정근과 이은렬에 의하여 발족된 광주방송 '어린이노래회'도 그 중의 하나였다. 두 사람의 지도로 발군의 노래 솜씨를 과시하던 '어린이노래회'는 1957년 세 차례의 서울 공연을 통해 음악인들의 관심을 끌었다. 1959년 '어린이노래회'는 '새로나 소녀합창단'으로 이름을 바꿔 확대 개편되었다. 원래 '어린이노래회'는 초등학생들로 구성되었으나 남다른 예능 소질을 인정받고 기량을 갈고닦은 아이들은 중학교에 진학한 뒤에도 음악에 대한 열정을 떨쳐버리지 못했다. 정근은 이들의 열망을 받아들여 '새로나소녀합창단'을 발족시켰다.

그 후 이은렬과 함께 생각했다. 우리도 광주방송국에 어린이합창단을 만들자고. 그래야 서로 보람을 가질 것 같았다. 즉각 방송과장을 만나 교섭하였더니 생각하기보다 쉽게 방송국에 연습장소와 일주일에 한 번씩 생방송 시간을 얻었다.

이름은 광주방송 어린이노래회 겸 극회. 이렇게 출발한 우리들은 아이들의 손을 잡고 방송국에 올라와 맹훈련을 했다. 이때 이은렬은 나의 지도력을 보고 중앙초등학교 교사로 와달라고 제안해 왔다. 그러나 대학 졸업장이 문제가 되었다. 이럴 때마다 졸업장은 나를 몹시 괴롭혔다. 학교 교사가 부족한 때라 자격 취득은 차후로 미루고 우선 특수교사로 채용이 되었다. 그리고 음악과 무용을 지도하였다. 성과는 대단하였다. 음악무용경연대회에 나가면 모두 최우수상을 차지하였다. 이로써 학교 장은 인사를 받고 자랑을 하고 인기가 대단하였다. 나는 교육학을 몰랐기 때문에 각종 강습회를 열심히 쫓아다녔다. 이렇게 해서 나는 열정이 좋은 선생이라는 말을 들었다.[19]

---

19) 정근 전집 2권(미발간)

이즈음, 정근은 본격적인 동요 작사와 작곡을 시작하였다. 이 시기, 정근이 창작한 동요의 특징은 아이들의 생활 속에서 발견한 동심과 가족, 계절, 꽃, 나무 등 인본주의와 자연주의를 소재로 한 창작 경향에 있다. 1956년에 작곡한 「우체부 아저씨」는 집집마다 전쟁 때 헤어진 가족의 생사를 확인하지 못한 채 가슴 졸이던 전후(戰後) 시기의 시대적 상황이 배여 있다.

정근이 광주에서 이끌던 성인합창단 지휘 모습

아저씨 아저씨 우체부 아저씨

큰 가방 메고서 어딜 가세요

큰 가방 속에는 편지 편지 들었지

동그란 모자가 아주 멋져요

편지요 편지요 옳지 옳지 왔구나

시집간 언니가 내일 온대요

– 「우체부 아저씨」 전문

정근의 창작 메모 : 어른들이 야기한 전란에 무모한 어린이가 희생되어 가슴 아팠던 1956년 집집마다 이산가족들이 날마다 소식을 기다리며 큰 가방을 메고 찾아오는 우체부 아저씨를 만나 대화하는 동네아이들의 순박한 마음을 동요로 간직해주고 싶었다. 광주사범대학 영생유치원을 맡아 운영할 무렵, 노래를 만들었고 이후 편곡을 해 학습용 노래극 속에서 아이들이 서로 주고받는 노래로 발전시킨 동요이다.

비야 비야

오지 마라

우리 언니

시집갈 때

가마꼭지 물든다

비야 비야

오지 마라

– 「비야 비야 오지 마라」 전문

📝 **정근의 창작 메모** : 1955년 무렵, 전시동요는 간혹 방송전파를 타고 흘러나왔으나 정작 유아들을 위한 동요는 없을 때다. 그때는 교통이 여의치 않아 모처럼 가마 타고 시집가는 모습을 가끔 볼 수 있었다. 새 색시의 행복을 빌며 귀한 가마의 행차를 기다리는 작은 아씨들이 입 맞춰 부르던 것을 바탕으로 꾸민 것이다.

눈이 내린다 펄펄 하얀 설탕 되어라
마음대로 사탕을 먹고 싶어요

눈이 내린다 펄펄 하얀 솜이 되어라
꼬까이불 만들어 덮고 싶어요

눈이 내린다 펄펄 하얀 소금 되어라
바닷물을 만들어 헤엄치고 싶어요

눈이 내린다 펄펄 밀가루가 되어라
맛있는 빵을 만들어 나눠먹고 싶어요

– 「눈이 내리면」 전문

📝 **정근의 창작 메모** : 1956년, 하얀 눈을 보고 어린 유아들은 어떤 생각을 할까, 이런 생각에 몰두하고 있을 때 현실과 상상의 세계를 넘나드는 어린이들이 눈을 보고 느끼는 감성을 생각해보았다.

고드름 고드름

처마 밑에 고드름

해가 지면 좋아서

길게 길게 자란다

해가 뜨면 싫어서

눈물을 흘린다

뚝뚝 또로로롱

잘도 녹는다

– 「고드름」 전문

정근의 창작 메모 : 요사이는 고드름을 보기 힘들다. 세월이 달라져 시멘트 집으로 바뀌었기 때문이다. 1956년 무렵, 초가집 지붕에 매달린 고드름은 유난하게 길고 판자촌 슬레이트 처마에는 무수히 많은 고드름이 열렸다. 고드름을 자기 몸으로 느끼면서 고드름이 크고 작게 자라는 모습을 의인화해 본 것이다.

소낙비가요 줄 같이 내린다

좍좍 우리 마당에

내가 벗어논 고무신을 신고요

둥실둥실 떠내려간다

소낙비가요 갑자기 그쳤다

뚝뚝 물방울 소리

내가 쌓아놓은 모래성에 구멍이

벙긋벙긋 더 커져가요

－「소낙비」 전문

정근의 창작 메모 : 날씨가 더우면 갑자기 소나기가 내린다. 어릴 때는 무척 즐거운 자연현상이다. 1957년 무렵, 어른아이 할 것 없이 고무신은 귀한 신발이었다. 뜰에서 놀던 아이가 갑자기 쏟아진 소나기를 피해 마루에 올라 앉아 고무신이 떠내려가는 것을 보고 상상의 세계가 실현되는 현상을 발견하고 기쁨을 감추지 못한다. 장난감이 없던 시절, 유일한 수단이 흙장난이었다. 처마 밑에 쌓아놓은 모래성이 지시락물(낙숫물)에 허물어지는 모습을 안타깝게 바라보던 아이들의 마음을 그렸다.

'새로나소녀합창단'은 연습장소도 제대로 마련하지 못하는 등 많은 어려움에도 불구하고 해마다 빼놓지 않고 '음악의 밤'을 열어 광주시민에게 노래를 선사했다. 정근의 지도와 문영탁·임헌정 등의 헌신적인 협조로 이루어진 '음악의 밤'은 피아노곡을 합창곡으로 편곡한 주옥 같은 우리 가곡을 들려줌으로서 관객들의 사랑을 받았다.[20] 특기할 것은 1963년 8월, 소록도 나환자들의 정착사업장인 '오마도'를 찾은 새로나소녀합창단의 노래선물이다. 새로나소녀합창단은 나환자들의 불행한 삶을 사랑의 선율로 어루만지며 모처럼 소록도의 밤을 환하게 밝혀주었다. 이때 새로나소녀합창단 단원은 훗날 음악계의 신데렐라로 성장한 국영순(김자경 오페라단 프리마돈나)과 대학에서 후진양성에 힘쓰고 있는 박계, 방현희 그리고 양은희 등이었다.[21]

---

20) 박종채, 위와 같음.
21) 정근 전집 2권(미발간)

광주방송 어린이극회 시절

1956년 〈전남일보사〉는 전국규모의 '학생의 날 기념 학생연극제'를 개최해 무대예술을 지향하는 젊은이들의 가슴에 새로운 불을 지피는 계기를 마련한다. 그해 1월 1일, 차가운 겨울을 헤치고 작은 움틈이 있었다. '광주방송어린이극회'가 그것이다.

정근·이은렬의 열성적인 지도와 황의돈·김이식의 협조로 탄력을 받은 '광주방송어린이극회'는 첫 작품으로 「브레맨의 악대」를 전파에 실어 보냄으로서 아동극의 가능성을 제시했다. 1957년 〈교육주보사〉가 주최한 전국아동극 콩쿠르에서 정근이 연출한 「칠석날」(주평 작)이 연출상을 수상한 데 이어 「때때회」와 「브레멘의 악대」가 아동극 부문 우수작으로 선정돼 '아동극방송대본 제1집'에 수록됨으로써 아동극 부문의 본보기가 되었다.

정근은 지방권역인 광주 연극계의 좁은 틀이라는 약점을 극복하면서 전국규모로 그 문화적 토양을 양생하는데 기여했다.

광주교대 부설 영생유치원 교사 시절

정근은 신생유치원 교사를 거쳐 광주교육대학 부설 영생유치원 설립에도 뛰어들었다. 이때 광주 최초로 몬테소리 교육을 도입했다. 1955년 4월 미국 존스홉킨스 대학 피바디(Peabody) 음대 유아교육자로 구성된 교육사절단이 방한해 이화여대에서 세미나를 진행했다.

영생유치원 교사 시절의 정근(1960년대초)

정근의 요청으로 미국의 유아교육자 S. 브루스 여사가 광주를 일주일에 한 번 내방해서 유아교육 세미나를 진행했다.

나는 한 불란서 신부의 도움으로 『유아심리학』, 『유아교육총서』 등 일본 책을 구입할 수 있었다. 머리를 싸매고 공부를 하였다. 유치원 교육은 놀이를 통한 흥미 중심 교육이라는 생각을 하게 되었다. 독일의 실용주의 교육을 바탕으로 놀이화하였다. 이런 교육방법을 개척하여 일일 운영안, 유치원 교육 과정 등 일 년에 한두 번씩 계획적으로 발표하였다. 더구나 광주교육학교 내에서의 열정으로 크게 인정받았다. 마침 이때 미국의 교육 원조의 일환으로 피바디 대학 유아교육 지도자 과정이 이화여대의 주관하에 열린다는 것을 알게 되어 광주교육대학에 피바디 교육사절단을 초청했다. 일주일에 금요일 하루, 미스 S. 브루스라는 유아교육전문교수가 나를 위하여 서울에서 광주까지 와서 지도해주었다. 내가 찾아가야 하는데 교수가 나를 찾아왔다.[22]

브루스 여사는 매주 광주에 내려올 때마다 새로운 어린이 놀이를 보여 달라고 정근에게 요청했다. 이에 따라 정근은 자신의 교육적 구상을 '폐품 유치원'으로 이름 붙여 지물포의 파지를 재단하고 양복점에서 버린 헝겊을 주워 교육 재료로 이용했으며 철사토막과 물에 불린 콩으로 인형을 만들어 보여주었다. 광주교대 뒷산에서 채집한 도토리와 밤, 나뭇잎 등 야생 열매도 재료로 사용했다. 이 모든 게 아이들을 위한 놀이 재료로 쓸 수 있는 재료였다. 브루스 여사와 친척처럼 가까워졌다. 자기도 스타킹을 수집하여 빨아서 가져오고 사무용품인 클립, 바늘 등도 상자에 채워 가져다주었다.

---

22) 정근 전집 2권(미발간)

브루스 여사는 정근을 서울로 초청해 이화여대 취학교육과에서 특별강의를 하게 했고 종로초등학교에서 함께 강습회를 열기도 했다.[23] 이후 정근의 커리큘럼은 광주교대 부속 영생유치원이 자랑하는 아이들의 자발적인 놀이문화로 정착되었다. 하지만 이 시절의 정근은 남모를 고통을 겪고 있었다.

나는 모든 것을 잊어버리고 열심히 하는데 한 형사가 연좌제 운운하면서 봉급날이면 꼭 찾아왔다. 쉽게 말해서 돈을 뜯어갔다. 나는 의욕을 상실할 정도로 괴로웠다. 공무원보다 작은 봉급을 빼앗기고 보면 기가 막혔다. 집에 라디오가 없는데도 이북방송을 들었다는 신고가 들어왔다. 좌익을 만났다는 등 이유를 억지로 붙이면서 도장이 5, 6개 찍힌 서류를 내보이며 괴롭혔다.

그래서 나는 나의 행동을 사회봉사하는 것으로 인식시켰다. 음악회, 아동극 등 각종 어린이행사를 열어 나를 어린이에 미친 사람이라고 인식을 시켰다. 새로나소녀합창단은 전후 광주사회의 어두운 분위기를 밝게 펼쳐가는 데 일익을 담당하기도 했다.

이러한 활동 때문에 날로 유명세가 붙어 예총 광주음악협회 상무이사도 하게 되었고 1960년 광주공설운동장에서 열린 전국마스게임 경연대회의 연출을 맡아 대상을 차지함으로써 '전라남도문화상'을 수상하기도 했다.

이렇게 되자 귀찮은 형사 녀석도 소리 없이 떨어져 나갔다. 나는 약자를 좀 먹는 악질 형사들 때문에 나뿐 아니라 많은 사람들이 괴로움을 당했다는 것을 잘 알고 있다. 전쟁은 없어야 한다. 전쟁은 전쟁을 불러일으킬 뿐이다. 그 후유증은 전쟁보다 더 무서운 것이다. 전쟁은 어떤 경우라도 피해야 한다. 총과 칼 대신 사랑으로 다스리면 평화가 온다는 것을 명심해야 한다. 한 사람의 악의 세력 때문에 광주가 싫어졌다.

---

23) 정근 전집 2권(미발간)

그래서 나는 서울로 진출하게 되었다.[24]

1961년 텔레비전 시대가 개막되었다. 라디오가 그랬듯, 텔레비전의 보급은 일상의 변화를 이끈 원동력이면서 사회 변화를 상징적으로 드러내는 사건이었다. 가족구조가 변화하고 문화주택이나 아파트 같은 주거공간이 새롭게 고안되면서 텔레비전은 전면적인 변화의 중심에서 그 존재감을 드러냈다. 하지만 텔레비전은 1961년 박정희 정부의 '크리스마스 선물'로 기획된 만큼 선전 수단인 동시에 적절하게 하향 평준화된 대중의 오락거리였다. 어린이 TV 프로그램 역시 인성교육 차원보다는 오락성 짙은 프로가 방영되었다. 이에 정근은 방송을 통한 어린이 교육이라는 꿈을 펼치기 위해 본격적인 텔레비전 시대에 접어들던 1967년 광주를 떠나 상경한다.

KBS 어린이합창단 지도자 시절

상경 이후 남산 KBS방송국에서 어린이 프로그램의 대본을 집필하며 방송작가로 활동하는 한편 신광초등학교, 리라초등학교 부설 유치원, 숭의여전 부속 유치원에서 교사와 원감으로 활동한다. 이 시절, 이원수 극본 · 김규환 작곡 · 서옥빈 연출의 '콩쥐팥쥐'가 KBS 어린이합창단의 출연으로 방송을 통해 1964년 처음 발표된다. 다음을 잇는 작품이 1967년 한국소년소녀합창단에 의해 발표된 조풍연 극본 · 김주영 작곡 · 정근 연출의 '노래하는 목장'이다.

---

24) 정근 전집 2권(미발간)

1960년대 남산KBS방송국의 홍난파 동상 앞에서
(왼쪽부터 작곡가 이수인, 김규환, 정근)

호출부호 HLKA로 전파를 발사한 남산 KBS의
어린이합창단과 함께

정근 극본·이은렬 작곡의 「찹쌀떡」과 정근 극본·이수인 작곡의 「심청전」, 「혹 뗀 이야기」도 초창기 KBS의 전파를 탔다.

1960년대는 국내에 방송사들이 하나둘 생기면서 상업시대가 시작되었고, 가요·팝·CM송 등의 대중적인 새로운 음악이 등장해 어린이들에게 영향을 미쳐 동요의 위기가 대두됐던 시기였다. 이런 위기 상황을 극복하기 위해 각 사회단체에서는 동요행사를 개최하게 되었는데 1963년 동아일보 소년판에 〈이 주일의 동요〉란이 생겨났고 방송동요로까지 이어지면서 많은 동요를 보급시켰다. 이때는 어린이합창단 활동이 그 어느 때보다 활발했던 시기로 이들 어린이합창단에 의한 각종 동요행사는 어린이 합창의 수준을 높인 것은 물론 동요보급에도 큰 영향을 끼쳤다.

상경 무렵, KBS에 어린이 프로그램이 생겼고 어린이합창단의 안무지도자를 찾는데 내가 지목되어 어린이합창단 지도자로 일주일에 세 번 나가기로 되었다. 일단 KBS에 들어왔으니 내가 할 수 있는 일을 찾기 시작했다. 먼저 교육방송 1, 2학년

사회과 원고를 쓰기 시작했다. 극작을 써본 일도 없었기에 급히 헌 라디오를 구해서 교육방송을 열심히 들었다. 어려운 일은 아니었다. 다행히 이성이란 친구가 맡아 하는 프로였기에 원고 수정과 요령 등을 배우고 열심히 한 탓으로 세 번째 원고부터 수정 없이, 지금까지의 주입식 교육의 틀에서 경험주의 사고로 흥미와 호기심을 살리는 목표를 세우고 추진한 것이 잘 이어지게 되어 성공적이었다. 이윽고 과학프로그램까지 맡았다.

그러자 서울 시내 사립학교 합창발표회가 열려 한 학교가 20분씩 배정을 받아 시민회관에서 대규모 행사가 있었는데 신광초등학교에서 구성의뢰를 받았다. 주어진 시간은 20분. 학교장의 욕심은 음악 무용 연극 등 장기 자랑을 모두 무대에 올리고 싶어 했다. 오후면 신광학교에 나갔다. 입장과 퇴장의 시간을 줄이고 장치하는 시간을 줄이면 개별적인 입장과 퇴장까지 합쳐 무려 6, 7분까지 시간을 줄일 수 있었다. 그래서 일단 책상과 의자를 각자 합창단이 들고 무대에 올라가 4단의 계단을 쌓고 신속하게 서는 무대구성을 연습시켰다. 물론 교사들이 총동원되어 4단의 합창대열이 불과 3분 만에 세워졌다. 이것은 정말 놀랄만한 일이었다. 그리고 옆구리에는 카드섹션을 위한 용궁그림과 숲속 그림을 조각조각 나누어 손에 들었다.

그날 이야기의 내용은 '영이의 꿈'이었다. 합창의 메아리가 울려 퍼지며 착한 영이를 부르는 노래로 막이 열린다. 영이가 침대에 누워 잠들어 있다가 부르는 소리를 듣고 일어나 기지개를 켠다. 참새들이 날아와 영이를 깨우고 숲으로 달려간다. 라이트가 들어오면 카드섹션, 숲속에 참새와 영이가 함께 뛰놀고 다람쥐들이 나와 즐거운 하루가 시작된다.

영이는 동물들을 부른다. 동물들의 머리를 바구니로 엮고 이것을 뒤집어써서 한국 초유의 탈 무용이 됐다. 영이가 다시 노래하는 용궁에 가고 싶다고 한다. 동물들과 함께 용궁을 찾아간다. 그러자 카드 섹션은 어느새 용궁으로 변한다. 용궁에는 물고기가 노닐고 영이는 합창 속에 행복한 용궁을 구경한다. 그리고 5시의 시계 소리가 나자 물고기와 동물들이 서둘러 퇴장을 한다. 영이도 뛰어가 침대에 눕는다. 라이트는 영이로 조여들고 즐거운 학교 길을 서두른다. 합창단이 즐거운 노래를 부르면 즐거운 학교생활이 시작됨을 알린다.[25]

방송의 위력이 점점 커지던 시기에 KBS는 '방송동요'를 제정하였고 방송인들과 동요인들이 힘을 합쳐 새로운 동요를 널리 보급했다. '방송동요'의 제정은 창작동요의 획기적인 발전을 가져오는 계기가 되었다. 특히 '이 주일의 새 동요'는 매주 새 동요를 만들어 방송에 내보냄으로써 한 차원 높은 수준급의 동요들이 탄생할 수 있었다.

KBS 어린이합창단 지휘자 시절의 정근(1970년대)

한중 친선소년소녀합창제에 참가한 KBS 어린이합창단(1970년대)

정근은 KBS어린이프로그램의 방송작가로 활동했고 KBS 어린이합창단을 지도했다. 그는 TV 프로그램 개척기에 담당 PD들이 상상하지 못할 새로운 표현을 시도했으며 획기적인 어린이 프로를 개척하여 개편 때가 오면 편성제작부의 기린아가 되었다.

---

25) 정근 전집 2권(미발간)

이런 다면적인 활동이 가능했던 것은 젊은 시절의 경험이 주효했다. 광주에서 무용에 심취했고 합창단을 지도했으며 어린이극회를 이끌었고 유치원 교사 시절, 율동을 곁들인 동요를 작곡 작사한 경험이 총체적으로 발현되었다. 정근은 KBS 간판 어린이 프로인 '모이자 노래하자'의 대본을 쓰면서 뽀빠이 이상룡, 서수남·하청일 등을 기용해 동요보급에 나섰다.

3. 정근의 동요에 비친 시대상

정근의 동요엔 아이들의 눈에 비친 시대상이 드러나 있다. 일별하자면 광주시절과 서울 시절, 그리고 라디오 시대와 텔레비전 시대 등으로 구분할 수 있을 것이다.

① 1970년대 창작동요

1974년 서울역과 청량리 사이를 잇는 지하철 1호선이 개통되면서 시작된 지하철 시대를 맞아 작사한 「싱싱 지하철」, 컬러 TV가 보급된 1980년대 초 텔레비전에 출연하고 싶은 아이들이 꿈에 그린 「텔레비전」, 아이들이 방과 후에도 귀가하지 못하고 학원으로 내몰리는 상황을 그린 「학원가는 길」, 이웃과 인사도 하지 않는 아파트촌의 비정함에 멍든 동심을 그린 「아파트」 등의 노랫말이 그것이다.

싱싱 지하철
싱싱 잘도 간다
서울역에서 청량리
캄캄한 땅속을 잘도 간다

싱싱 지하철

싱싱 달려간다

우리 집에서 유치원

땅굴로 달리면 참 좋겠다

－「싱싱 지하철」 전문

정근의 창작 메모 : 1974년 서울에 지하철이 생겼다. 어린이는 땅 속을 뚫으면 길을 돌아 가지 않고 쉽게 목적지에 갈 수 있다는 꿈을 꾼다. 1호선은 청량리까지 단박에 질주한 다. 어린이들은 집에서 유치원까지 또 지하철이 다니길 소망할 수 있을 것이라는 생각 에 노래로 만들어보았다.

② 1980년대 창작 동요

텔레비전에

내가 나왔으면

정말 좋겠네 정말 좋겠네

춤추고 노래하는 예쁜 내 얼굴

텔레비전에

내가 나왔으면

정말 좋겠네 정말 좋겠네

텔레비전에

엄마 나왔으면

정말 좋겠네 정말 좋겠네
애기가 엄마하고 부를테니까
텔레비전에 엄마 나왔으면
정말 좋겠네 정말 좋겠네

ㅡ「텔레비전」 전문

정근의 창작 메모 : 어린이의 꿈에 그리던 영상이 공중파를 통해 안방으로 날아들었다. TV라는 요술상자 속에서 사진이 살아서 움직이더니 1980년엔 컬러로 바뀌었고 텔레비전이 있는 집은 어른아이 할 것 없이 가득 모여서 웃음꽃을 피웠다. 어린이의 호기심은 더해가고 밤마다 자신이 출연하는 꿈을 꾸었을 것이다. 이 꿈과 욕망을 간접적으로나마 충족시키고자 했다.

저 멀리 하늘에 구름이 간다
외양간 송아지 음매음매 울적에
어머니 얼굴을 그리며 간다
고향을 부르면서 구름은 간다

저 멀리 하늘에 구름이 간다
뒤뜰에 봉선화 곱게곱게 필적에
어릴 제 놀던 곳 찾으러 간다
고향을 그리면서 구름은 간다

ㅡ「구름」 전문

정근의 창작 메모 : 남산 중앙방송국에서 내려오는 길에 하늘에 흘러가는 구름을 보고 다방에 들러 차 한 잔을 하면서 즉석에서 쓴 동시다. 해방 직후 북으로 간 형들이 어머니 얼굴을 보고 싶어 구름이 되어 남쪽으로 내려온 것 같은 느낌이 들었다. 함께 있던 작곡가 이수인이 즉석에서 곡을 붙였다.

둥글게 둥글게 (손뼉) 둥글게 둥글게 (손뼉)

빙글빙글 돌아가며 춤을 춥시다 (손뼉)

손뼉을 치면서 (손뼉) 노래를 부르며 (손뼉)

랄랄랄랄 즐거웁게 춤추자

링가 링가 링가~ 링가 링가링

링가 링가 링가~ 링가 링가링

손에 손을 잡고 모두 다함께

즐거웁게 뛰어봅시다

둥글게 둥글게 (손뼉) 둥글게 둥글게 (손뼉)

빙글빙글 돌아가며 춤을 춥시다 (손뼉)

손뼉을 치면서 (손뼉) 노래를 부르며 (손뼉)

랄랄랄라 즐거웁게 춤추자

－「둥글게 둥글게」 전문

정근의 창작 메모 : 어린이의 신체 놀이를 위한 율동에 착안해 지은 노랫말이다. '둥글게 둥글게'는 어린이들이 서로 도우며 살아가는 연대의식을, '링가 링가 링가'는 둥글게 혀를 말아 발음하는 입말을 특정해 보았다. 모닥불을 중심으로 둥글게 돌아가는 캠프파이어의 모습과 함께 어린이 레크리에이션 활동의 장면이 떠올랐다. 결과적으로 어린이

의 몸에 잠재되어 있는 흥을 북돋아 주기 위해 손뼉을 치면서 노래를 부르는 활동성 높은 춤곡이 되었다.

③ 그밖에 널리 애창되는 동요(노랫말)

토마토는요 빨갛구요
정말로 정말로 어여쁘지요

토마토는요 동그랗구요
정말로 정말로 귀여웁지요

토마토는요 먹으면은요
정말로 정말로 맛이 있어요

─「토마토」 전문

동실동실 햇님이 서산에 가면
왼쪽 길로 안녕히 가시라고요
손에 손에 손은 잡고 안녕히 안녕
선생님과 친구들도 안녕히 안녕

─「안녕히 안녕」 전문

산에는 산바람 들에는 들바람
바람이 부는 언덕에 꽃가루 날리자
파랑색 노랑색 빨강색 오렌지색
산에는 푸른 꿈 들에는 오색 꿈

푸른 산새소리 풍기는 꽃향기
꽃 너울 퍼진 동산에 큰 꿈을 키우자
파랑색 노랑색 빨강색 오렌지색
하늘은 밝은 빛 마을은 오색 꽃

— 「꽃가루 날리자」 전문

나뭇가지에 실처럼 날아온 솜사탕
하얀 눈처럼 희고도 깨끗한 솜사탕
엄마 손잡고 나들이할 때 먹어본 솜사탕
호호 불면은 구멍이 뚫리는 커다란 솜사탕

— 「솜사탕」 전문

흰 물결이 밀려오는 바닷가에서
춤을 추는 갈매기 떼 바라봅니다
스르르르 파도가 밀려오며는
파르르르 물결 위에 잘도 놉니다

흰 모래가 밀려오는 바닷가에서

물결소리 들으면서 춤을 춥니다

또르르르 사뿐사뿐 맴돌면서

니나니나 니나니나 잘도 놉니다

－「춤추는 갈매기」 전문

4. 정근과 방송동요

KBS간판 어린이프로인 '모이자 노래하자'의
진행자 박설희와 정근

방송동요는 1926년 경성방송국이 개국하면서 등장했고 방송동요가 활성화된 것은 1957년 남산방송국이 개국하면서부터다. 1926년 일제는 유화정책을 위해 일본 도쿄(JOAK), 오사카(JOBK), 나고야(JOCK)에 이어 네 번째로 서울 경성방송국을 개국하고 한국 최초의 라디오 방송 호출부호인 JODK를 처음으로 발사하였다. 경성방송국 개국은 일본의 식민지 정책의 일환으로 시작되었지만 1933년부터 입안된 문화정책에 따라 일본어와 우리말로 이중방송이 실시되었고 동요프로그램에서도 일본 동요와 우리 동요가 함께 방송되었다.

이 영향으로 홍난파는 어린이를 위한 노래를 보급하기 위해 '연악회'를 조직하고 윤석중의 동요가사에 곡을 붙인 「퐁당퐁당」, 「낮에 나온 반달」, 「꾸중을 듣고」, 「꿀돼지」 등을 작곡했다. 홍난파는 이를 기반으로 『조선동요 100곡집』을 상·하 두 권으로 각각 1929년, 1930년 편찬했다. 대구의 박태준도 1929년 첫 동요작곡집 『중중 때때중』을 펴낸 데 이어 1931년 두 번째 작곡집 『양양 범버궁』을 펴냈다.

이렇듯 새로운 창작동요가 쏟아져 나옴에 따라 조선총독부는 크게 당황하여 우리 동요를 배척하기 시작했다. 이에 따라 학교에서는 일본 창가를 불렀지만 가정이나 교회에서는 우리 동요를 부르는 상황이 연출되었다. 1904년 설립된 광주 최초의 교회인 양림교회에서도 찬송가와 함께 우리 동요를 즐겨 불렀다. 정근은 1936년 양림교회에서 운영하던 양림유치원에 다니면서 우리 동요를 배우고 노래했다.

1940년대에 들어 조선총독부의 억압정책은 더욱 가혹해져 우리 민족의 문화와 예술을 말살하려고 했다. 이런 상황에서 동요에 뜻을 가졌던 문학가와 음악가는 대부분 창작의욕을 잃고 다른 일로 전직해 갔으며, 일부 예술가들은 친일적이며 일제 찬양의 꼭두각시 노릇을 강요당하였다. 그러나 우리 동요는 없어진 것이 아니라 때를 기다리며 숨어 있었다.

1945년 일제의 통치에서 해방된 우리 민족은 윤석중 작사, 박태준 작곡의 「새 나라의 어린이」를 불렀으며 1947년 어린이 방송시간에 안병원 작곡의 「우리의 통일」이 발표되어 널리 애창되었다.

일제 강점기에서의 동요와 해방 후의 창작동요는 성격을 달리한다. 즉, 우울하고 어두운 그늘진 심성을 노래했던 동요가 밝고 씩씩하고 희망을 담은 건설적인 노래로 변한 것이다. 동요에 대한 인식도 바뀌어 유희적인 개념에서 교육적이며 음악적인 개념으로 확장되었다. 해방 후 첫 공휴일이 5월 5일이어서 해마다 이날을 어린이날로 확정하였다. 윤극영은 만주 용정에서 1947년 서울로 귀국한 후 윤석중을 제일 먼저 찾았다. 이들은 윤석중의 집에서 '노래 동무회'를 만들고 어린이를 모아 한인현 지도에 김천 반주로 윤석중 작사, 윤극영 작곡의 새로운 동요를 지도했다. 이때 불린 노래가 「봄이 와요」, 「기찻길 옆」, 「나란히 나란히」, 「길조심」, 「꼬리」, 「어린이날 노래」 등이다.

KBS서울중앙방송국의 배준호는 윤석중의 영향으로 1948년 방송국에 어린이노래회를 조직했다. 지도는 방송국 근처 초등학교 교사 김순흥이 맡았다. 그 후 방송국 어린이노래회는 해를 거듭할수록 장족의 발전을 하였고 자타가 공인하는 어린이합창단으로 성장했다. 이때 어린이합창단으로 활동한 단원 중에는 나중에 유명한 음악가가 된 소프라노 이규도·한복희·김성애, 작곡가 이여진, 피아니스트 한동일, 바이올리스트 이희춘 등이 있다.

그러나 6·25전쟁이 발발함에 따라 전시동요 시대로 접어들게 되었다. 전쟁과 동요라는 두 단어는 어울리지 않았지만 국군의 전의를 북돋우고 승전에의 의지를 나타내는 데 한 몫을 담당했다. 김성태의 「우리 공군 아저씨」, 윤용하의 「피난 온 소년」, 윤이상의 「산넘어 남쪽」, 정세문의 「전투기」, 「피난살이」, 권길상의 「대한의 아들」, 박태현의 「위문편지」, 「간호언니의 노래」, 한용희의 「대한의 소년」 등이 그것이다.

전시에 나온 동요 중에서도 어효선 작사 권길상 작곡의 「꽃밭에서」는 많은 사랑을 받은 곡이다. 이 노래는 1952년 전쟁이 한창일 때 동시가 지어졌고 1953년에 노래로 발표되었다. '아빠하고 나하고 만든 꽃밭에~ '로 시작하는 이 동요는 전후의 황폐한 분위기를 따뜻하게 감싸 안은 작품이라는 평을 받고 있다. 6·25전쟁으로 인해 정동방송국 연주소가 잿더미로 변해 제대로 된 공개방송 하나도 하지 못하던 환경에서 남산방송국의 개국은 방송동요의 황금기를 열었다.

정근은 남산방송국 시절, KBS-TV의 '어린이동산' '얘기들 차지' '모이자 노래하자' 등의 구성을 맡았고 '부리부리박사'의 안무를 맡는 등 인기프로그램을 진행하였다.

남산중앙방송국이 한국방송공사로 개편되면서 1983년 여의도로 옮기게 되었다. 면모를 갖춘 한국방송의 어린이 프로도 구실을 하게 되었고 교양 위주의 프로 편성으로 피아노 교실, 기타 교실, 노래 교실 등의 프로가 생겨났다. '모이자 노래하자'의 규모도 확대개편되어 게임과 촌극이 첨가되었다.

또 '노래의 메아리'는 야외촬영을 나가게 되었고 어린이 프로 '영이의 일기'가 시작되어 정근은 매주 토요일마다 노래 일기를 집필하였다. '영이의 일기'는 새 어린이상을 보여주는 교육적인 양질의 프로로 평가받았고 각 사립, 공립 초등학교에서는 감상문 '나 같으면' 등을 쓰게 하여 학부형들로부터 대환영을 받았다. 그리고 어린이날에는 서울공설운동장을 가득 메운 어린이를 대상으로 중고등학생 군악대, 의장대, 인기 스포츠맨, 연예인 축구, 낙하산 착륙, 행글라이더, 마스게임 등 각종 이벤트를 모아 약 1시간 반 어린이를 즐겁게 해주는 프로 구성을 맡았다.

이때부터 유아 중심 프로 '딩동댕 유치원', 초등학생 프로 '딩동댕 7시다' 등 네 가지 프로의 구성을 맡았다. 괄목할만한 일은 유아들이 쉽게 리듬놀이를 따라 할 수 있도록 노래가사로 미리미리 동작을 성명해주는 '짤랑짤랑'을 창안하여 전국의 유아가 모르는 아이가 없이 다 같이 따라 불렀다.

나는 이때부터 한국적 뮤지컬 '모이자 노래하자'에 촌극 옛 이야기를 준비하기 시작했다. 이 촌극은 1994년 '사운드 오브 뮤직'이라는 제목으로 무대 공연(서빈 연출)을 하게 되어 전국을 순회하였고 다음은 뮤지컬 '폭풍 속의 아이들'도 전국 순회공연을 하였다. 이것은 한국에 어린이 뮤지컬 붐을 일으켰다. 또 어린이를 위한 오락프로를 구성하여 어린이들에게 지적 발달의 자극을 주었으며 행사 위주의 각종 특집도 맡았다. 특히 하나의 동요로 40분짜리 프로그램을 만들자는 실험도 성공시켰다. 이렇게 어린이 프로가 성황하게 되자 라디오에서도 '동요부르기회' 프로를 만들었다.

더불어 어머니 동요합창단 등이 만들어져 3년여를 진행했다. '톰 소여의 모험' '숲속의 공주' 등 뮤지컬을 맡아하였으며 정체된 어린이 TV프로에 자극을 주고자 했다. 또 '과학세계' 프로가 개설되어 3년여를 계속했다.

이같이 간추린 나의 TV경험은 어린이 작가들의 선망이 되었으나 나이는 어쩔 수 없었다. 잊을 수 없었던 일은 어린 시절, 동요를 듣고 자란 기성세대들이 하나같이 동요를 부르지 않는 일이었다. 그래서 나의 동요사랑의 하나로 기성 성악가(국내 교수)를 출연시켜 그리운 동요를 노래시키고 어린이들과 함께 동요의 꿈을 깨우치는데 주력을 하여 수많은 교수들이 동요를 불러주었다.

특기할만한 일을 지적하자면 교수들이 자기 현재의 성량으로 동요를 부르려 했다는 점이다. 그 때문에 동요의 이미지 손상이 될까봐 무척 걱정되었다. 때로는 '허밍'으로 따라 부르듯이 자신을 유도하여 가성으로 어릴 때의 기억을 찾아주자 결국은 벨칸토와 같이 부드럽고 유연한 소리로 노래하였다. 성악인 자신들도 놀랐다. 이처럼 순수하고 맑고 깨끗한 노래가 바로 동요였다고. 그리고 '동요부르기회'의 어머니동요합창단은 두 해에 걸쳐 오페레타 '슬기로운 선조들' '노래동화 호랑이와 곶감'은 참으로 대단한 성과를 거뒀다. 아마 당시로는 초유의 것이며 노래하고자 하는 욕망과 나타내고자 하는 표현본능을 충족시켰다. 성취의 욕구, 인정의 욕구 등 여성들의 본능적인 활동은 훌륭한 예술을 창조하였다.

한편 유아교육에 대한 열망은 'TV유치원'을 맡으면서 전국의 모범이라는 유아교육의 진수를 보여주었으며 '이 주일의 동요'는 지금의 뮤직비디오와 같이 가사의 이미지를 화면에 부각시키며 동요의 리듬을 변형하고 보다 활발하게 때로는 서정적으로 한 동요를 여러 가지 표현으로 나타내 주었다. TV프로그램 개척기에 PD도 감당하지 못할 새로운 표현을 시도했으며 획기적인 어린이 프로를 개척하여 개편 때가 오면 으레 정근하고 이미지화하여 편성제작부의 기린아가 되었다. 이렇게 해서 1956년부터

시작한 방송생활을 1995년에 마감하였다.[26]

5. 말년의 정근

① 동화구연대회 심사위원

정근은 말년에 광주동화구연대회의 심사위원으로 여러 차례 광주를 찾았다. 이에
대한 회고가 있다.

구연동화의 유래에 대해 강연하는
말년의 정근

광주는 내 고향이다. 그러나 내 흔적도 없이 변해버렸다. 명색이 대학에 있다는 교
수들의 연구도 나의 흔적을 감쪽같이 없애버리고, 1950~70년대에 흔적도 없었던 그
들이 큰 활동이나 한 듯 여기저기 떠벌리고 있다. 1921년 광주에서 일어난 소년학생

---

26) 정근 전집 2권(미발간)

운동은 내가 살던 양림동에서부터 발기되어 방정환의 소년사랑론을 중심으로 소년지도자협회를 비롯해 광주학생독립운동에 이르는 씨를 뿌렸다. 광주의 소년운동은 급기야 무언의 반일시위를 하게 되었다. 이렇게 발전한 소년반일사상은 일제의 탄압으로 소년들은 단기(團旗)며 장비를 빼앗겼고 지도자는 옥살이를 했다. 그 후 지하로 들어가 해방을 맞게 되었다. 1930년대부터 열렸던 전국동요동화 호남대회가 열려 지도자가 일경에 발각되어 말썽이 될 때부터 소년들은 동화대회 우수상을 받아와 위로했다. 그래서인지 광주사람들의 동화사랑은 유난히 크고 적극적이다. 오늘로서 2회째 대회를 심사하였고 두 번의 강좌를 가졌다. 나는 고향을 스스로 만들어갔다. 이번에는 광주소년운동을 주제로 이야기해야겠다.[27]

　광주가 고향이라서 나에게는 뜻이 있었다. 회고하면 1955년 전쟁이 마무리되기도 전에 38선을 남긴 채 사회 안정을 하고 있을 때 광주방송 어린이노래회를 만들어 북에서 남에서 온 어린이들의 손을 맞잡고 사직동 광주방송국으로 모여들어 노래와 방송극을 방송했다. 당시는 녹음기가 없어서 주로 생방송을 했다. 그리고 이들이 자라서 새로나소녀합창단으로 발전하였고 광주의 합창운동을 주도하였다. 다시 고등학교에 들어간 이들을 중심을 오페라 〈춘향전〉을 했었고 성인합창단을 도와 화려한 발표회와 새로나소녀합창단 발표회는 인산인해를 이뤘다. 아쉽게도 이런 자료들이 하나도 남아 있지 않다. 역사를 말하는 사람들은 역시 편협적이다. 그들이 모르면 지워버리고 자기보다 큰일은 축소하여 버리는 것이 이들의 횡포이다. 광주에서 서울까지 이제는 너무 긴 여행이다.[28]

---

27) 「광주 반달회 이야기 1」, 『정근 일기』(2002. 10. 27 · 미발간)
28) 「광주 반달회 이야기 2」, 『정근 일기』(2002. 10. 28 · 미발간)

② 어린이 그림책 출판

정근은 1992~1996년 보림출판사 편집 고문을 맡았고 이때 제작한 그림책 『자장자장』, 『마고할미』, 『호랑이와 곶감』 등은 지금도 사랑받고 있다. 그밖에 동요집으로『봄 여름 가을 겨울』, 『안녕, 안녕』, 『유아 노래 1000곡집』과 뮤지컬 대본『폭풍우 속의 아이들』, 『혹 뗀 이야기』, 단행본으로『엄마와 함께 하는 유아극 놀이』, 『엄마엄마 얘기 해주세요』, 『이런 말 하면 안 되는데』 등이 있다. 번역 동화로는 『아기 곰의 가을 나들이』『나의 크레용』『바다 건너 저쪽』『사과가 쿵!』『못난

정근 글 · 조선경 그림의 『마고할미』 표지.

이 내 친구』『하지만, 하지만 할머니』『뛰어라 메뚜기』『좋은 느낌 싫은 느낌』『쉬야 쉬이』 등이 있다.

6. 나가며

정근은 1956년부터 1995년까지 40여 년 동안 한국방송공사(KBS)를 위시한 여러 방송사에서 어린이 프로그램 작가이자 합창단 지휘자로 활동하였다. 그의 별명은 '방송국 할아버지'였다. 정근은 방송에 나오지 않는 방송인이었지만 그의 대표곡은 방송을 통해 전국적으로 애창되었다.

한국음악저작권협회에 등록된 정근의 총 작품 수는 269곡이다. 이는 일반적으로 알려진 작품에 비해 두 배 이상의 창작곡인 것은 물론 뮤지컬 '폭풍 속의 아이들'과 '혹 뗀 이야기'를 비롯해 인형극 삽입 노래, 어린이 오페라, 노래가 있는 옛날이야기 등을 포괄한 숫자이다. 정근은 한국전쟁의 피해자인 동시에 연좌제의 피해자였다. 그런 측면에서 전쟁과 동요라는 전혀 상치되지 않는 두 단어의 충돌 속에서 그가 동요운동에 뛰어들었다는 사실은 전후 한국동요사의 한 배경을 되새기게 한다. 동요에 피가 묻어 있다는 창작자의 고통을 그 노래의 수용자인 어린이들이 일일이 알 필요는 없을 것이다. 하지만 정근의 고향 광주만큼은 그러한 사실을 잊지 않고 기억해야 한다. 광주는 기억의 도시이고 그 기억은 광주의 역사이기도 하다.

정근은 생전에 "여러 초등학교의 교가를 수십 편 지어 기증했다"고 말했지만 일일이 수소문하기엔 역부족이었다. 말년엔 소장하고 있던 방송 시나리오 대부분을 한국방송작가협회에 기증하였으나 이 역시 수습하지 못했다. 그 밖에도 적지 않은 창작동화와 뮤지컬 대본, 인형극 대본과 노래극 시나리오 등이 남아 있지만 이에 대한 수습 작업도 다음을 기약할 수밖에 없다.

특기할 것은 이산가족으로 뿔뿔이 흩어져 살았던 반세기의 공백 속에서 정근은 동요작곡가, 둘째 형인 정추는 평양음악대학과 모스크바 차이콥스키음악원을 거쳐 카자흐스탄에 정착한 클래식 작곡가가 되어 있었다는 점이다. 형제가 약속이라도 한 듯 일생을 음악에 바쳤다는 것은 뜻밖의 일이다. 음악은 음향을 통해 사람들에게 기묘한 향수와 감각을 촉발한다. 그 음향은 성장 환경의 영향을 받은 창작자의 독특한 언어적 산물이기도 하다.

형제는 음악과 세상을 연결하려고 했다. 음악이 무엇을 의미하는지 역사는 알려주지 못하지만 음악은 역사에 대해 뭔가를 말해줄 수 있다. 음악은 귀로 듣는 예술이다. 그렇기에 음악가의 생애를 말할 때 귀로 듣는 음악만큼 직접적이고 효과적인 수단은 없을 것이다. 정근의 동요는 선율을 모른 채 읽어도 자연스러운 호흡과 리듬이 느껴질 만큼 음악에 밀착되어 있다. 그것은 선율이 붙여지기 전에 이미 노래였다. 이런 측면에서 '정근 동요음악제'를 고향인 광주에서 개최하는 일은 큰 의의를 지닐 것이다. 정근의 창작동요는 한국전쟁 직후에 전개된 어린이문화운동의 유산이고 한국동요사의 중요한 유산이다.

전남 곡성군 오산면 봉동리 선산 앞에 세운 시비(詩碑) 앞에서의 정근(2010. 10)

정근 전집 1권

인   쇄 | 2022년 7월 11일
발   행 | 2022년 7월 18일

지 은 이 | 정근
펴 낸 이 | 손정순
펴 낸 곳 | 도서출판 작가
         (03756) 서울 서대문구 북아현로6길 50
         전   화 | 02)365-8111~2 팩스 | 02)365-8110
         이 메 일 | morebook@naver.com
         홈페이지 | www.cultura.co.kr
         등록번호 | 제13-630호(2000. 2. 9.)

편 집 인 | 정철훈
간행위원 | 현기영(소설가), 양정자(시인), 이상국(시인),
          신이영(유라시아문화연대 이사장),
          장철문(시인·아동문학가),
엮 은 이 | 정철훈(시인·편지문학관 관장)

ISBN 979-11-90566-42-1 (04800)
값 45,000원